# Intuïtieve Feng Shui
## je leven in balans

# Intuïtieve Feng Shui
## je leven in balans

Edine Russel

Voor Magda en José

Patricia van Walstijn, Willem Jan van de Wetering en
Christien Broekhoven, bedankt voor het vertrouwen.
Roy Martina, bedankt voor je perfecte timing.

© 2000 Edine Russel / Uitgeverij Andromeda
© Illustraties 2000 Edine Russel / Uitgeverij Andromeda

ISBN 90 5795 0596
NUGI 626
Omslagontwerp:  M.G. Bootsman
Zetwerk: Looney2, Hilversum
Druk: Bercker, Kevelaer
Correctie: Marian van Ham
Illustraties: Edine Russel

Uitgave door Hermans Muntinga Publishing in janu-
ari 2000

Deze uitgave kwam tot stand in samenwerking met
Uitgeverij Andromeda, Blaricum.

# Inhoud

# BEGIN

Ik heb altijd een grote interesse gehad in de inrichting van ruimten.

Er werd bij ons thuis altijd heel wat verhuisd. Was het niet van de ene kant naar de andere kant van de stad, dan was het wel binnenshuis.

Zolang als ik mij kan herinneren heeft mijn moeder aan die verhuisdrang geleden. Hoe vaak mijn zus en ik in het weekend wel niet wakker werden gemaakt door mijn moeder, die luid puffend de hele huiskamer aan het verschuiven was. En dan niet de bank even een stukje opzij, nee, dit was het serieuze werk. Boekenkasten naar de gang, eethoek naar de keuken en schilderijen naar de andere muur.

De avond daarvoor had ze dan tot heel laat met haar rolmaat en potlood zitten passen en meten, net zolang tot ze de perfecte locatie voor de sofa en de beste hoek voor de televisie had gevonden.

Ook de indeling van de slaapkamers werd iedere paar maanden omgegooid.

Mijn moeder naar mijn kamer, mijn zus naar mijn moeders en ik naar mijn zusters domein.  Zo was het net alsof ik iedere keer een heel nieuw huis had.

Toen ik naar de middelbare school ging, bouwde ze een bergkast voor mij om tot een heus studeerhok, met slimme stellages en een uitschuiftafel. Toen mijn zus het nest verliet, werd dezelfde week nog de muur van haar oude slaapkamer doorgebroken zodat we nu allebei een grote kamer hadden.

Ze vroeg altijd onze opinie, wilden we een gele bad-

kamer of een blauwe? Lamellen of fluwelen draperieën? Plavuizen of parket?

Zo was ons huis was altijd gezellig en inspirerend.
Hadden we ergens genoeg van dan verfde ze er toch
gewoon overheen?

Natuurlijk ging er ook wel eens wat mis. Zoals die
keer dat ze die nieuw stempeltechnieken losliet op de
keukenkastjes. Heel creatief hoor, met een kurk en
een sponsje en rare verf, maar het zag er niet uit en
het ging er ook niet meer vanaf. Nu nog, na al die jaren, kun je het kurkreliëfje er vrolijk door zien schijnen.

Toen ik voor het eerst op kamers ging, deed ik precies
hetzelfde. Urenlang tekende ik plattegronden en
testte ik verschillende soorten verf op de muur. Als ik
dan helemaal tevreden was, wilde ik na een paar
maanden toch weer iets anders. Ik kon echt totaal van
smaak veranderen met alle verhuisgevolgen van dien.
Ook ik heb over de jaren aardig wat blunders gemaakt. Zo belde mijn huisgenoot me eens op vanuit
een tapijtpakhuis waar ze onze nieuwe, moderne, si-
sal vloerbedekking ging ophalen. Nee, ze hadden alleen nog maar een geblokte variant, heel leuk met
zeegroen en naturel, en ook veel goedkoper ja!

Dat hebben we geweten, het hele huis leek op een le-
vensgroot schaakbord en het vloekte vreselijk met de
kanariegele muren.

Ik herinner me de douche nog goed. Douche is misschien niet de juiste omschrijving. Het was meer een
nauwelijks waarneembaar miezerig straaltje waardoor haren wassen een meer dan dertig minuten du-
rend ritueel werd.

Om het geheel op te frissen schilderde ik woeste golven en scholen met exotische vissen op de muren. We spendeerden kapitalen aan luxe doucheschuim en schelpendecoraties, om maar vooral te proberen het wasritueel wat op te peppen. Ondanks al onze verwoede pogingen bleef het een uiterst traumatisch terugkerende ervaring. Uiteindelijk zijn we maar verhuisd, zij naar een heel mooi en rustig appartement waar alles in beige en crème was geschilderd en ik naar het buitenland. Maar ook daar, ongeacht hoe klein en armoedig de pensionnetjes ook waren, ik probeerde het altijd tot een thuis te maken.

Zwerven zit me om de een of andere mysterieuze reden in het bloed en ik moet bekennen dat ik in mijn relatief korte leven al weer zo'n zeventien keer verhuisd ben. Je kunt je misschien voorstellen dat ik ondertussen een expert ben op het gebied van inrichtingen, kleurencombinaties en alles wat met wonen te maken heeft.

Waar ik achterkwam, is dat onze huizen onlosmakelijk met ons verbonden zijn. Onze huizen belichamen ons leven, onze gedachten over het leven, onze interesses, onze sterke en zwakke punten. Ze vertellen ons hoe het met ons gaat. Ze geven ons steun en rust wanneer we dat nodig hebben, beschermen ons tegen negatieve invloeden van buitenaf.

Nogmaals, ons huis is een onderdeel van ons.

Het is van groot belang dat je je woning als een onderdeel van jezelf gaat zien voordat je met Feng Shui aan de gang gaat.

Hoe jij je uiteindelijk voelt in je huis heeft niets te maken met de grootte van het budget dat je te besteden hebt. Je kunt het duurste huis inrichten met het kostbaarste meubilair en nog steeds het gevoel hebben dat je iets mist in je leven. Daarentegen kun je het allerkleinste kippenhok inrichten met het allerkleinste budget en je de koning te rijk voelen.

Toen ik een aantal jaren geleden voor het eerst een boek over Feng Shui in handen kreeg, kon ik mijn ogen niet geloven. Al die uren passen en meten, de besluiteloosheid over wel of geen planken in de slaapkamer, herinrichtingen wanneer ik mijn leven saai vond, dat had een naam. Niet gewoon 'creatief', maar Feng Shui, de kunst van het wonen!

Hier waren richtlijnen en inspiratie. Redenen en raadgevingen hoe je het meeste uit je leven kunt halen door middel van je woning. Dit waren de verbindingen die ik altijd wel had gevoeld, maar nooit had benoemd. Mijn 'gezelligheid' en 'sfeer' waren niet meer en niet minder dan een gezonde Chi stroom, een balans in Yin en Yang. Op deze manier kon ik ieder huis, iedere kamer en zelfs ieder bureau te lijf gaan volgens dezelfde principes. En, belangrijker, ik wist nu het hoe en waarom.

Sinds die dag kan ik niets meer zomaar ergens neerzetten, ik weet waarom ik het daar wil en niet daar. Ik weet waarom mijn smaak verandert of waarom het op sommige plekken snel een rommeltje is.

Maar het allerbeste is dat ik bewust in mijn leven verbeteringen kan aanbrengen door veranderingen in mijn woonomgeving en vaak vrijwel onmiddellijk de resultaten ervaar. En dat ik vaak via mijn huis voor het eerst merk, dat ik iets in mijn dagelijks leven meer aandacht kan schenken.

# VOOR WIE?

Dit boek is geschreven voor alle mensen die nog steeds denken dat Feng Shui een Chinese kipschotel is, en ook voor iedereen die na het open-slaan van een van de vele boeken over dit onderwerp dachten, geef mijn portie maar aan Fikkie. Het is ook voor al die mensen die voelen 'dat er meer is'. Die wellicht iets missen in hun leven of een groter bewustzijn willen hebben van de dingen om hen heen.

Mensen die intenser willen leven, niet weer een dag, een week, een maand op de automatische piloot willen ploeteren. Voor je het weet, vertel je je kleinkinderen dat opa of oma het allemaal wel anders had willen doen.

Voor hen die er snel mee aan de slag willen, die een druk of vol leven leiden en voelen dat ze niet genoeg tijd hebben om zich al te diep in de materie te verdiepen.

Mensen die gewoon willen weten wat ze moeten doen om het beste uit hun woning en zodoende uit hun carrière, relaties, creatieve processen, dromen enz. te halen.

Een praktisch boek dus, een echt 'doe-boek', zodat je zo snel mogelijk aan de slag kunt in je huis of op kantoor.

Hoewel het voornamelijk is gebaseerd op de oude kennis van Feng Shui, zoals het al meer dan drieduizend jaar in China wordt beoefend, verwacht toch geen historisch werk.

Verwacht ook geen oneindige verhandelingen over de

filosofie van het Taoïsme of de complete interpretatie van de I-Ching.

Wil je echt de oude geheimen van de Feng Shui door-gronden, dan raad ik je aan voor een tijdje naar China te verdwijnen.

Observeer de vier seizoenen en zie wat voor invloed ze hebben op het landschap en de mensen. Mediteer een paar jaar op een berg en leer de stand van de ster-ren en de maan.

Bestudeer de stroom van de rivieren in het westen en de bescherming van de heuvels in het noorden. En luister naar de wind.

Misschien dan kun je echt begrijpen wat Feng Shui betekent, de kunst zoals de oude meesters in China die onderrichtten.

Maar dit alles is niet verplicht, tenzij je niets liever wilt dan een paar jaar in het Verre Oosten wonen, en tot die tijd denk ik dat dit boek je genoeg inzichten zal verschaffen.

We wonen nu eenmaal in het Westen, in de eenen-twintigste eeuw en onze leefomgeving is zo enorm anders dan die van het oude China. Onze huizen zit-ten vol met ongezonde bouwmaterialen zoals metalen en chemische middelen. We staan dagelijks bloot aan allerlei soorten stralingen van televisies, computers, magnetrons en mobiele telefoons.

We leven drukke en stressvolle levens met luchtver-vuiling, junkfood en parkeerbonnen.

Het is eigenlijk vrijwel onmogelijk om de principes van Feng Shui letterlijk over te brengen naar deze cul-tuur en tijd.

Een belangrijk deel van dit boek wordt in beslag genomen door de Bagua. Dit is een gereedschap direct uit de oude Feng Shui school.
Met de Bagua kun je ongelooflijke veranderingen maken in je leven, op ieder denkbaar niveau.
Een praktisch boek dus, aangepast aan het hier en nu.
Ook bespreek ik zaken die misschien op het eerste gezicht niets met Feng Shui te maken hebben, maar wel heel mooi aansluiten op het onderwerp.
Dan bedoel ik zaken zoals rommel, kleuren, affirmaties, kristallen en numerologie, om er maar een paar te noemen. Zoals ik al zei is het meer een 'doe-' dan een 'studie'boek.
Het is de bedoeling dat je de ruimte waarin je woont

als een deel van jezelf gaat zien. Wat zou ik graag veranderen, welke indruk wil ik geven?

Feng Shui biedt hele doeltreffende middelen om ons leef- en woongenot te verhogen. Je kunt zo bescheiden beginnen als je wilt, je hoeft echt geen muren door te breken of een heel  team winterschilders binnen te halen, althans niet meteen.

Wat ik je hier nog wel wil zeggen is dat, zodra je de technieken beschreven in dit boek onder de knie hebt, je nooit meer een ruimte in zult kunnen lopen zonder op te merken hoe het is ingericht, wat de kleuren zeggen, wat voor sfeer er heerst, wat voor energie er stroomt, wat voor mensen  er wonen en hoe het met ze gaat.

Het is maar dat je het weet.

# WAT IS HET?

Feng Shui wordt al meer dan drieduizend jaar beoefend in China en betekent letterlijk 'wind en water'. Het is een methode om je omgeving zodanig te rangschikken dat je leven op alle gebieden volledig in balans is. In China wordt het beschouwd als een kunstvorm, de kunst om in harmonie te leven met de omgeving.

De Chinezen gaan ervan uit dat alles in balans moet zijn met de natuur en alles wat er gebouwd wordt als het ware in elkaar smelt met de vloeiende vormen van het landschap.

Er werd niets gebouwd zonder voorafgaande bestudering van het landschap. Waar liggen de bergen ten opzichte van het water, waar komt de zon op, wat voor vegetatie is hier? Welke tekens geeft de aarde, is dit een voorspoedige plaats om te bouwen of brengt het landschap onheil over hen die hier wonen?

De kennis werd doorgegeven van meester tot meester. Deze Feng Shui meesters en priesters gebruikten de Luo Pan. Dat is een soort kompas om de meest fortuinlijke locatie te berekenen voor belangrijke bouwwerken.

Zo werd het kompas bijvoorbeeld gebruikt om de Chinese muur te bouwen, maar ook om de beste locatie te berekenen voor een begraafplaats. Want, zo geloofden zij, als de doden werden begraven waar goede Feng Shui was dan bracht dat geluk voor de nabestaanden.

# Feng Shui vandaag

Willen we deze oude kennis naar het hier en nu vertalen, dan zullen we toch enkele aanpassingen moeten maken.

Vergeet niet dat er meer dan drieduizend jaar verschil zit tussen bijvoorbeeld de woonruimte van een oude Chinese priester op het platteland van Beijing en, ik noem maar wat, een Ikea-appartementje drie hoog achter in Amsterdam-Noord.

De oorspronkelijke Feng Shui meesters zouden nooit woningen of winkels hebben gebouwd op de plaatsen waar wij nu wonen. Zeker hier in Nederland waar we toch al lijden aan een chronisch tekort aan bergen. En onze randstad waar het aantal inwoners per vierkante meter echt de pan uit rijst. In de westerse bouwstijl zijn bijna nergens de traditionele Feng Shui regels toegepast.

Toch betekent dit niet dat we het net zo goed kunnen opgeven. We hebben nog steeds genoeg Feng Shui oplossingen tot onze beschikking om de balans in onze omgeving te verbeteren.

Of je nu in een kippenhok in Barendrecht woont of in een riante villa in Blaricum maakt voor de principes van Feng Shui niets uit.

Er is altijd plaats voor verbetering. Wie wil zich nu niet optimaal voelen en het meeste uit zijn of haar leven halen? Een gezond evenwicht is daarvoor onontbeerlijk.

Wanneer je begint met een goede balans in de ruimte waarin je woont, zul je merken wat een enorme positieve invloed die heeft op de rest van je leven. Dit boek biedt vele creatieve en simpele middelen om je leven te verbeteren.

Heb je altijd een stukje maand over aan het eind van je salaris? Met andere woorden, heb je het gevoel dat je geld er tien keer zo snel uitvliegt dan dat het binnenkomt.

Doe je werk dat je eigenlijk vreselijk vindt? Of kun je sowieso geen passend werk vinden? En waarom zit uitgerekend jij in je eentje thuis op zaterdagavond?

Voel je je achtennegentig in plaats van achtendertig? En krijgt je moeder je nog steeds op de kast met een onschuldige opmerking?

Gefeliciteerd, dit is de perfecte tijd om al die zorgen, ergernissen en frustraties bij het grof vuil te zetten.

Met de gereedschappen in dit boek creëer je een heerlijk huis en innerlijke rust. Wat wil een mens nog meer? Waarschijnlijk ook nog succes, een goed inkomen, fijne relaties en een blakende gezondheid.

Het enige dat je nodig hebt om te starten, is een beetje motivatie en een paar vuilniszakken.

Zodra je door dat begin heen bent, weet ik zeker dat je niet meer wilt stoppen.

# ENERGIE

In Feng Shui gaan we ervan uit dat alles leeft en dat
alles met elkaar in verbinding staat. Met alles bedoel
ik letterlijk alles dat bestaat.
Mensen, dieren, planten en gebouwen, maar ook het
schilderijtje in de gang en de wasmachine.

Dat leven en die verbinding wordt veroorzaakt door
energie. Dat is niet dezelfde energie die het gaskachel-
tje zo gezellig laat pruttelen.  Ik heb het hier over
Energie met een hoofdletter E. Is gelijk aan Universele
Energie, Prana, Ki, Kosmische Adem of Chi. Vanaf nu
zal ik het Chi (spreek uit als tsjie) noemen, omdat dat
de Chinese benaming is.
Als je in balans bent met de wereld om je heen, als je

je bewust wordt dat jouw energie zich als het ware versmelt met de energie van de objecten waarmee je je omringt, ervaar je dat speciale gevoel.

Noem het geluk, rust, harmonie of liefde, je voelt je dan optimaal. De Chinezen noemen die energie 'Sheng Chi'.

Het kan ook zijn dat je je helemaal niet zo lekker voelt. Dat je het idee hebt dat het leven aan je voorbijgaat, dat je je vinger er maar niet op kan leggen. Die energie wordt 'Sha Chi' genoemd. Sha uit zich bijvoorbeeld in ziekte, agressie, depressie, moeheid zonder aanwijsbare reden of financiële moeilijkheden. Dit kan verschillende oorzaken hebben, zoals de ligging en inrichting van je woning.

Hoe vind je nu die balans als je de energie niet kunt zien?

Allereerst moet je alles dat is, beschouwen als levend. Wanneer je aanneemt dat alles om je heen leeft, dan wordt het veel logischer je te omringen met dingen waar je je goed bij voelt.

Je bent vast wel eens bij iemand op bezoek geweest waar je je meteen helemaal thuis voelde.

'Het was zo gezellig bij Willem en Christien, om halfelf zat ik er nog.'

Maar het kan ook heel goed zijn dat je er de hele avond als een stijve plank op het puntje van de bank hebt gezeten. Of je kreeg halverwege de avond een barstende hoofdpijn. Dan is er dus sprake van Sha Chi. Dat kan verschillende oorzaken hebben. Misschien heeft er net een enorme ruzie plaatsgevonden. Of is het er zo'n enorme puinhoop dat er niet genoeg ruimte voor de Chi is om vrij rond te cirkelen. Het kan ook zijn dat door de ligging of een bepaalde inrichting van een gebouw deze Chi geblokkeerd raakt.

Met Feng Shui kun je deze blokkades opsporen en opheffen om op die manier voor een gezonde doorstroom te zorgen. Het werkt hetzelfde als bij massage of acupunctuur. Ook daar heft de therapeut blokkades in het lichaam op voor de goede doorstroming van de Chi, voor een gezond lichaam en gezonde geest.

Feng Shui wordt daarom ook wel eens acupunctuur in de ruimte genoemd.

Met Feng Shui willen we de Chi dus zo gunstig mogelijk voor ons laten werken.

Gunstige Chi kan namelijk een enorme positieve invloed hebben op bijvoorbeeld onze relaties, onze carrièremogelijkheden, onze gezondheid en financiële situatie.

Iedereen kan leren om Chi waar te nemen. Je doet het de hele dag, je bent je er alleen niet zo direct bewust van.

Stel je voor: halfzeven 's ochtends in een koude keuken met fel tl-licht, je voeten plakken aan het zeil, dat vol ligt met kruimeltjes. Om een boterhammetje te smeren moet je eerst de vieze vaat aan de kant schuiven en dan zijn de theezakjes ook al op.

Of: in je warme fluwelen ochtendjas en pluche pantoffels bij de zachte gloed van het schemerlampje pers je op het glimmende aanrecht een lekkere verse jus uit. Welk ochtendritueel prefereer jij? Waar is de Chi optimaal?

Zoveel mensen leven met Sha Chi omdat ze simpelweg niet weten wat een negatieve invloed die kan hebben op de rest van dag.

Zoals je zo dadelijk zult begrijpen heeft een kleine verandering veel meer gevolgen dan je misschien voor mogelijk had gehouden.

# Yin en Yang

Ik wil hier toch wat dieper op de Chinese filosofie van Yin en Yang ingaan, want dat geeft ons een beter inzicht in de ideeën achter Feng Shui. Waarschijnlijk heb je deze term wel eens eerder gehoord of de afbeelding gezien.

Volgens de Chinezen bestaat het universum uit twee kosmische krachten, twee tegengestelde maar tegelijkertijd aanvullende energieën. Deze krachten kunnen niet los van elkaar bestaan, zonder dag geen nacht, zonder positief geen negatief. Samen vormen ze een van de oudste en krachtigste symbolen, het Yin Yang symbool.

Deze eenvoudige zwart-witte cirkel staat voor de essentie van het gehele Chinese denken. Iedere helft bevat een kleine hoeveelheid van de andere helft en vertegenwoordigt op die manier de versmelting van die twee. Alles is Yin en Yang, maar is niet altijd in evenwicht.

De idee is dat we, als we in harmonie zijn met deze twee krachten, een totale balans ervaren.

Als wij dus naar een balans zoeken in ons huis moeten we een balans brengen in de Yin en Yang.

Yang wordt geassocieerd met het licht, beweging, kracht, mannelijkheid, de lente en de zomer, het zuiden, en buiten. Yin staat voor de duisternis, rust, vrouwelijk, de herfst en de winter, het noorden en binnen.

Er is een constante wisselwerking tussen de twee, duisternis wordt licht, na de warmte van de zomer komt de kou van de winter.

Yin en Yang kunnen niet zonder elkaar bestaan.

Het werkt door in alles, ons huis, onze kleding, onze gezondheid, relaties, voedsel. Je kunt de Yin Yang principes werkelijk in alles terugvinden. De meeste mensen zijn het meest op hun gemak wanneer er een balans is tussen de twee. Je zoekt dat evenwicht automatisch, je hebt vaak niet eens door dat je het zoekt.

Je bent vast wel eens in een kamer geweest waarvan je later zei, ' Nou dat was zo'n donker en akelig hok. Alles was donkerbruin en rommelig met van die kleine schemerlampjes, je zag bijna niets!' Dat is een teveel aan Yin energie.

Het kan ook zijn dat een ruimte teveel Yang energie heeft, in dat geval vind je het er waarschijnlijk te wit, te licht, te hoog en te klinisch.

Bestudeer de lijst hieronder eens met de verschillende Yin en Yang kwaliteiten. Bekijk dan je kamer, zou je er misschien wat meer Yang energie kunnen creëren of juist Yin? Of ben je helemaal blij met de kamer zoals die nu is? Is er misschien al een perfecte balans?

| YIN | YANG |
|---|---|
| Negatief | Positief |
| Vrouwelijk | Mannelijk |
| Donker | Licht |
| Koud | Heet/Warm |
| Aarde | Hemel |
| Zacht | Hard |
| Rond | Hoekig |
| Maan | Zon |
| Rechts | Links |
| Laag | Hoog |
| Nieuw | Oud |
| Klein | Groot |

Wanneer je de Yin Yang kwaliteiten bekijkt, zie ze dan niet alleen als tegenstellingen, maar vooral ook als aanvullingen van elkaar. De meerderheid van de bevolking kiest waarschijnlijk voor een min of meer evenwicht in de twee.

Een vriend van mij leeft in een appartement waar Yang domineert. Alles is wit: de vloeren, muren, het plafond, de meubels en zelfs zijn kat. Ik noem het altijd gekscherend 'de Kliniek'. Volgens de traditionele Feng Shui regels is dat dus te veel.

Idealiter zou hij dat in balans moeten brengen met meer donkere kleuren, misschien een fluwelen draperie over de bank of een groot en wild boeket op de schoorsteen.

Maar dat kan ik dus mooi vergeten. Dit is zijn ideale huis, heeft hij jaren van gedroomd. Hier voelt hij zich helemaal, voor de volle honderd procent op zijn gemak. Helemaal in balans met zijn dominerende Yang woning.

Dat is eigenlijk het allerbelangrijkste, uiteindelijk gaat het erom dat je je ergens helemaal gelukkig voelt. Als dat dineren in een tandartsenpraktijk betekent en dat is voor jou optimale Chi, wie ben ik dan om je te vertellen dat je dat anders moet doen?

Vind je nu dat er nog wel ruimte is voor wat verbetering, bepaal dan met de Yin Yang lijst naar welke kant de weegschaal uitslaat. Is dat bijvoorbeeld naar Yin, vul het dan aan met dingen uit de Yang rij of verwijder een paar Yin objecten (en natuurlijk precies andersom bij een teveel aan Yang). Net zo lang tot je, een voor jou, ideale kamer hebt gecreëerd.

# DE VIJF ELEMENTEN

Naast Yin Yang en Sheng en Sha, kent de Chi-energie ook nog vijf elementen. Deze elementen zijn Vuur, Aarde, Metaal, Water en Hout. Alles is opgebouwd uit deze elementen. Ook in alle mensen zijn deze alle vijf aanwezig, alhoewel bij een ieder er één voornamelijk bovenuit steekt.

Net als bij de principes van Yin en Yang, zijn wij aardbewoners gewoonlijk ook het meest in ons element wanneer alle vijf elementen in onze leefruimte vertegenwoordigd zijn.

Je kunt de elementen terugvoeren tot zo goed als alles waar je mee te maken hebt. Van de inrichting van de slaapkamer, naar je avondeten, tot je beroep aan toe.

Omdat wij in het Westen niet bewust zijn grootgebracht met de principes van Vuur, Aarde, Metaal, Water en Hout, kan ik me voorstellen dat je dit hoofdstuk wellicht als ingewikkeld ervaart. Toch denk ik dat je waarschijnlijk al meer evenwicht in je huis hebt dan je je realiseert. We zijn alleen niet gewend om het als verschillende elementen te zien. Met de volgende beschrijvingen kun je gemakkelijk uitvinden welk element je misschien nog kunt versterken of afzwakken in je omgeving om die perfecte balans te creëren.

## Vuur

Het element Vuur staat voor hitte, droogte en beweging. Het duidelijkste voorbeeld van Vuur in je woning vind je in de verlichting. Iedere vorm van verlichting is vuur. Van waxinelichtjes tot de open haard, maar ook de staande schemerlamp en zonlicht dat naar binnen komt. Ook afbeeldingen en objecten die met licht te maken hebben, bevatten het vuurelement.
Het verwarmingssysteem in je huis staat voor vuur. Ook alles dat van dieren afkomstig is, zoals de lederen zithoek, het wollen kleed, (nep)- bont, maar ook de poes, de kanarie en de vlindercollectie.
Puntige, hoekige en scherpe vormen. Gebouwen met puntdaken en torenspitsen.
Alles in de kleur rood of paars. (Verderop in het boek zullen we wat dieper op de betekenis van kleur ingaan.)

## Aarde

Aarde is alles dat lang, vlak en plat is. Je vindt dit element in voorwerpen gemaakt van baksteen, aardewerk en tegeltjes. Aarde is het centrum, schept balans en geeft rust. Schilderijen of foto's die voor jou aarde vertegenwoordigen. De woestijn, het platteland. 'Aarde' gebouwen zijn wijds en vierkant. Het hele kleurenspectrum van donkerbruin tot geel staat ook voor dit element.

## Metaal

Dit element wordt teruggevonden in letterlijk alles dat gemaakt is van metaal. Goud, zilver, koper. Maar ook het roestvrijstalen aanrecht, gietijzeren pannen, sieraden, bestek, en de auto.
Edelsteen en halfedelsteen, kiezelsteen, marmer en graniet staan allemaal voor het Metaalelement.
De vorm van dit element is rond en ovaal, gebogen en koepelvormig. Metaalkleuren zijn pastelkleuren als lichtblauw en crème, maar ook lichtgrijs en zilver.

## Water

Dit element vind je logischerwijs in de badkamer, een fontein en het zwembad in de tuin. Alles wat voor jou water vertegenwoordigt. Afbeeldingen van de zee of een rivier. Of kunst in vloeiende en onregelmatige vormen. Alles dat glimt en weerkaatst, zoals spiegels, glas en geslepen kristal.
De kleur van het waterelement is donker, zwart, donkergrijs, marineblauw.

# Hout

Deuren, kasten, tafels, alles van hout staat voor dit element. Houten vloeren, kisten en ornamenten. Maar ook bloemen en planten, echt of nep maakt niet uit. Kunst en afbeeldingen met bloemen of planten, Van Goghs zonnebloemen en het bloemetjesbehang in de logeerkamer.

Gebloemde gordijnen en materiaal gemaakt uit hout of planten, bijvoorbeeld viscose en katoen. Voorwerpen met verticale strepen of cilindrisch van vorm vallen ook onder het houtelement.

Een typisch 'hout' gebouw is smal en hoog met een plat dak. Houtkleuren zijn blauw en groen, maar niet heel donker, anders valt het onder het element water.

# Elementen in balans

Nu we hebben gezien waar alle elementen voor staan, is het de bedoeling dat we ze bij elkaar gaan brengen. De Chi stroomt het best als alle elementen in balans zijn. Ik persoonlijk vertoef het liefst in mijn tussenkamer. Als we bezoek hebben, gaan mensen hier ook vaak automatisch zitten. In deze kamer zijn namelijk alle vijf elementen sterk aanwezig. De muren zijn in een diepe tint rood geverfd, dat is het Vuurelement.
Er staat een flink houten bureau en een antieke kast, het element Hout.
Verder heb ik in deze kamer mijn verzameling kristallen en halfedelstenen en mijn computer en faxmachine, dat is je Metaalelement.
Voor het Aarde-element ligt er een bruin kleed en tot slot zorgen een enorme spiegel en een klein binnenhuisfonteintje voor het element Water.
Nu suggereer ik hier niet dat je ook meteen je muren rood moet schilderen, maar je kunt ook op kleine schaal alle elementen bij elkaar brengen. Je kunt bijvoorbeeld een soort arrangement maken van een met water gevulde schaal (Water), wat zand op de bodem (Aarde), kiezelsteentjes (Metaal) en drijfplantjes of bloemen (Hout). Voor het element Vuur zet je er een paar mooie kaarsen bij of je richt er een spotje op. Dit brengt een rustpunt in de kamer en verbetert de Chi onmiddellijk.
Na een paar keer oefenen wordt het steeds makkelijker om te zien welke elementen je mist in je omgeving. Je kunt het best klein beginnen, dus bijvoorbeeld met de vensterbank, dan de tafel en uiteindelijk

de kamer als geheel. Je kunt een lijst maken en systematisch door de kamer gaan en van alles noteren welk element het is. Uiteindelijk zie je dan welk element je nog zou kunnen toevoegen of juist afzwakken.

# DE TWEE CYCLI

Laten we nu eens bekijken wat voor invloed de vijf elementen op elkaar hebben. De vijf elementen verhouden zich tot elkaar volgens twee principes. Twee cycli.
De eerste is die van de creërende cyclus, de tweede die van de overheersende cyclus.

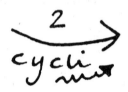

Hieronder zie je ze alle twee afgebeeld.
-De creërende cyclus, Vuur creëert Aarde - Aarde creëert Metaal - Metaal bevat Water - Water voedt Hout - Hout voedt Vuur - Vuur creëert Aarde - enzovoort.

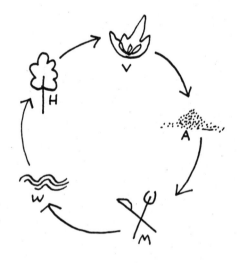

De overheersende cyclus, Vuur smelt Metaal - Metaal
snijdt Hout - Hout verbruikt Aarde - Aarde absorbeert
Water - Water dooft Vuur.

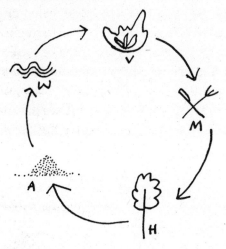

Als je bijvoorbeeld een overvloed hebt aan het element Vuur, dan kun je met je overheersende cyclus
uitvinden welk element je kunt toevoegen om een
balans te creëren, in dit geval Water. Of wanneer je
een teveel aan Aarde hebt, dan kun je het Houtelement introduceren, maar dan liever geen Vuur.
Je kunt heel makkelijk testen of je iets moet afzwakken of juist niet. Neem een kamer waar een element
overheerst,  kijk nu in de overheersende cyclus welk
element dat sterk aanwezige element kan indammen.
Voeg dan dat  element toe en zie hoe je meteen een
totaal andere indruk krijgt van die kamer. Voeg dan in
plaats van dat afzwakkende element nu iets toe uit de
creërende cyclus en zie dat dat element de ruimte juist
onaantrekkelijker maakt.

# DE GROTE SCHOONMAAK

Voordat ik je nu ga laten zien hoe je je leven kunt verbeteren, heb ik nog een huishoudelijke mededeling. Het is tijd om op te ruimen.

Je kunt namelijk alle Feng Shui oplossingen toepassen die er zijn, als het een rommeltje in je huis is, vergeet het dan maar.

Rommel stagneert de Chi en heeft daardoor een veel grotere invloed op je leven dan je je misschien voorheen had voorgesteld.

'Zo'n troep is het hier anders niet, hoor ', hoor ik je denken. Natuurlijk zijn de criteria voor iedereen anders. Voor de een is een jas over de stoel rommel en voor de ander de opgespaarde vaat van een week.

Als ik het in dit boek over rommel heb, dan bedoel ik daarmee alles wat je niet nodig hebt.

'Ja, uiteindelijk heb je helemaal niets nodig,' zullen de idealisten onder jullie zeggen.

In een ideale wereld zitten we ook inderdaad allemaal in ons raffiarokje op een tropisch eiland en eten we alleen wat moeder aarde ons schenkt en in plaats van Goede tijden Slechte tijden hebben we onthullende gesprekken met dolfijnen en bomen...

Die tijd komt ook vast nog wel, maar tot die tijd maken we het alvast zo perfect mogelijk in onze 'gewone' wereld, te beginnen in onze woonruimte.

Kijk eens goed rond in je kamer, wat staat, ligt en hangt er aan rommel.

Rommel is dus alles wat je niet nodig hebt.

Wat is niet nodig hebben?

Alles waar je naar kijkt dat niet je energiepeil omhoog brengt, heb je niet nodig.

Alles in je bezit wat je niet regelmatig gebruikt, heb je niet nodig.

Alle kleding in je kast die je al meer dan een jaar niet hebt aangehad, heb je niet nodig. Alle 'dat komt misschien nog wel eens van pas' dingen, heb je niet nodig.

Maar wat heeft rommel nou met mijn leven te maken?

Begin met opruimen en je zult het verschil onmiddellijk merken.

Alles in je huis  dat je niet mooi vindt of waar je niet van houdt, haalt je energie naar beneden.

'Dat afschuwelijke schilderij in de gang van dat wintertafereeltje in dat truttige lijstje. Van wie kreeg ik dat ook alweer? Oh ja, van Vera, de vorige buurvrouw, dat was ook al zo'n bla bla bla.'

Dat zijn toch al snel twee minuten ergernis. Loop zo eens tien keer per dag door je gang, zeven dagen per week. Dan voel je je dus meer dan twee uur per week niet optimaal door dat ene achterlijke schilderijtje in de gang. Dat heeft Vera nooit gewild, dat weet ik zeker.

Alles wat je niet gebruikt, neemt onnodig ruimte in beslag, jouw ruimte. Heb je wellicht teveel bezittingen voor de ruimte die je betrekt? Heb je eigenlijk zin om eens lekker op de bank te hangen met een tijdschrift, maar kun je je niet ontspannen, omdat er nog zoveel valt op te ruimen? Eerst nog even dit en eerst nog even dat. Voor je het weet is het zes uur verder en heb je nog geen letter gelezen in je tijdschrift.

Zodra je echt afstand doet van al die troep creëer je plaats voor nieuwe dingen in je leven. Een goede 'puinruim' sessie geeft energie.

En met rommel opruimen bedoel ik dus niet rommel verplaatsen. Alle losslingerende troep van de huiskamer naar de werkkamer verhuizen, valt daar dus ook onder.

Nee, opruimen is systematisch kast voor kast, laatje voor laatje, kamer voor kamer, puin ruimen. Heerlijk, ik kan niet wachten.

# Weet je wat dat kostte?

Waarom kunnen de meeste mensen toch zo moeilijk afstand doen van hun rommel?

Ik leef met een perfect voorbeeld. Waar ik eens in de zoveel tijd met een vuilniszak door het huis vlieg voor een snelle opruim sessie, zo moet mijn vriend ieder voorwerp op een gouden schaaltje afwegen.

Die stapel kranten kan bijvoorbeeld niet zomaar in de papierbak, nee daar staan nog interessante artikelen in, die hij nog wil lezen.

Geloof me, als je geen tijd hebt om de krant dezelfde dag te lezen, dan heb je ook geen tijd om hem over twee dagen te lezen.

Als artikelen echt zo enorm belangrijk zijn, knip ze uit, of lees ze meteen. Anders, vertrouw erop dat je het nog wel een keer tegenkomt wanneer er meer tijd voor is.

Kleding weggooien? Praat me er niet van, met moeite kan hij misschien afstand doen van een oud T-shirtje en het kost me uren debatteren en overleg voordat ik door zijn kast mag.

'Maar dat overhemd heb ik nog in Ibiza gekocht!'

'Schat, dat was in 1982. Je hebt het daarna nooit meer aan gehad. Die schoenen zijn te klein en je hebt ze pas één keer gedragen.'

'Weet je wat die schoenen kostten? Dat waren hele dure schoenen.'

Een hoop mensen houden zó aan hun spullen vast. Onder het mom van 'dat komt misschien nog wel eens van pas' worden hele zolders, kelders, garages en schuurtjes vol gestouwd.

Veel mensen hebben zo'n enorme troep, dat ze, wanneer zich een situatie voordeed, het zich niet eens zouden herinneren dat ze nog iets handigs hadden.

Of je hebt misschien iets cadeau gekregen van een goede vriend en als je dat wegdoet, is het net alsof je een stuk van die vriendschap weggooit. En die voetbaltrofee herinnert je aan de tijd dat je nog jong en fit was en aan de kameraadschap van de zaterdagcompetitie. Geloof me, dat gevoel en die herinneringen zitten in jou, niet in die oude kist op de vliering.

Vraag jezelf bij alles af: vind ik dit zo mooi, dat ik het echt niet wil missen?

Zo niet, vraag dan: is dit absoluut onmisbaar en gebruik ik het regelmatig?

Nog steeds niet, dan spijt het me heel erg, maar dan gaat het in de zak.

Natuurlijk hoef je niet alles weg te gooien. Misschien wil een vriend die zo goed als nieuwe hometrainer wel en die staande droogkap kan naar je buurmeisje voor haar Koninginnedagkraam en geef haar dan ook meteen de fondueset en het oranje afdruiprekje.

Geen afstand kunnen doen van zaken, is niet kunnen loslaten. Iemand die alles maar bewaart 'voor het geval dat...' vertrouwt eigenlijk niet in de toekomst. Zodra je afstand kan doen van zaken door ze weg te gooien, te verkopen of weg te geven creëer je nieuwe en betere.

Je zult merken dat die situatie waar je iets voor bewaard had, zich niet voordoet of dat er zich een andere oplossing aandient.

Hoe meer je vasthoudt aan zaken die je niet nodig hebt, hoe minder ruimte je laat voor nieuwe dingen. Probeer het eens, wanneer je in een slechte bui bent, of zo'n ik-verveel-me-mijn-leven-is-saai-bui, ruim op. Neem een willekeurige lade, en begin met ruimte creëren.

Mooi? Nodig? Mwah? Weg ermee!

Ik beloof je dat je je onmiddellijk beter gaat voelen.

In het volgende hoofdstuk bespreek ik de Bagua en ik weet zeker dat je dan meteen aan het opruimen slaat.

# DE BAGUA

De Bagua is een heel handig hulpmiddel om te berekenen waar gebieden in je huis corresponderen met
gebieden in je leven.

Het is een eeuwenoud systeem dat werd gebruikt
door de traditionele Chinese Feng Shui scholen.

Zoals je ziet, is het verdeeld in negen vakken die alle
staan voor een ander levensonderwerp. Je zou het
ook wel een energiekaart kunnen noemen.

Wanneer we de Bagua overtrekken op de plattegrond
van een gebouw of kamer of zelfs je bureau, dan kunnen we de negen huizen, verbonden met de verschillende aspecten van ons leven, aflezen.

| Rijkdom & Overvloed | Beroemd- heid & Reputatie | Liefde & Relaties |
| --- | --- | --- |
| Familie & Ouderen | Gezondheid & Eenheid | Kinderen & Creativiteit |
| Kennis & Persoonlijke Ontwikke- ling | Levenspad & Carrière | Reizen & behulpzame Vrienden |

De negen huizen zijn: roem en reputatie, liefde en relaties, kinderen en creativiteit, reizen en behulpzame

vrienden, levenspad en carrière, kennis en persoonlijke ontwikkeling, familie en ouderen, rijkdom en overvloed en in het midden gezondheid en eenheid.

Wanneer er een gebied van de Bagua ontbreekt of niet optimaal is ingericht of heel rommelig is, dan kunnen er problemen ontstaan in dat levensgebied van de bewoners.

En andersom, als er bepaalde dingen zijn in je leven die zich blijven herhalen of waar je je aan ergert, bijvoorbeeld een plek in je huis, waar het altijd meteen weer een rommeltje is, zodra je hebt opgeruimd, kijk dan eens in welk veld van de Bagua het ligt en bekijk wat er aan de hand is in dat gebied van je leven. Grote kans dat dit een deel van je leven is dat meer aandacht nodig heeft en waar je op moet blijven letten. Zie je woning als een spiegel, een spiegel van je leven. Ons leven en waar we wonen zijn onlosmakelijk met elkaar verbonden. Het werkt namelijk twee kanten op. Ten eerste kun je dus bekijken welke gebieden je in je leven zou willen verbeteren en dan de corresponderende Bagua gebieden onder handen nemen. Maar het kan ook andersom, doordat je je bewust wordt van de enorme troep in de achterkamer krijg je ineens een inzicht dat je reputatie inderdaad veel te wensen overlaat de laatste tijd, en kun je er meteen wat aan doen. Je kunt toch immers alleen iets veranderen wanneer je je er bewust van bent? Een hele goede manier om op te ruimen is om het met een bepaalde intentie de doen.

Stel,  er is een enorme rommelkast in je rijkdom en overvloed gebied. Werk je daar dan doorheen met dat in je achterhoofd. Dus zeg bij alles wat je weggooit, 'ik doe hier afstand van om meer overvloed te creëren'. Of, 'ik ruim op om meer helderheid in mijn relatie te krijgen'. Hoe bewuster je opruimt en met je huis omspringt, hoe duidelijker de veranderingen zich aan je zullen laten zien.

# HOE DEEL IK MIJN HUIS IN?

Bedenk allereerst welk gebied je in je leven zou willen verbeteren.

Wil je een regelmatiger inkomen, meer erkenning van je werk of misschien een betere relatie met je ouders? Of, als je je dat niet zo een twee drie kan bedenken, kijk dan eens of er in je huis een plek is die je graag zou willen veranderen. Is het ergens snel een rommeltje of ben je ergens niet tevreden over? Misschien kun je zo wel tien zaken opnoemen die je zou willen aanpakken. Maar het kan ook zijn dat je eerst eens met een notitieblok door je woning wilt gaan.

Teken dan een plattegrond van de ruimte die je onder handen gaat nemen: dat kan het hele huis zijn of een kamer of zelfs je bureau. Ik stel voor dat je begint met een kamer. Zodra je daar wat handiger in wordt, kun je je aan meer ingewikkelder tekeningen te wagen. Het hoeft geen kunstwerk te worden. Gewoon de vier muren van bovenaf gezien met de deuren en ramen aangegeven. Draai de tekening dan zodanig dat de zijde met de deur, waar je de kamer binnenkomt, naar je toe ligt. De tekening moet zo liggen dat je, als het ware, zo naar binnen kunt stappen.

Teken daaroverheen, met een andere kleur, de Bagua met de negen vlakken. Je komt dus binnen via kennis en persoonlijke ontwikkeling, levenspad en carrière of door het reizen en behulpzame vriendengebied. (Zie afbeelding)

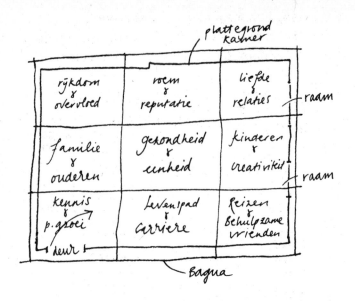

plattegrond kamer

| rijkdom<br>&<br>overvloed | roem<br>&<br>reputatie | liefde<br>&<br>relaties |
| familie<br>&<br>ouderen | gezondheid<br>&<br>eenheid | kinderen<br>&<br>creativiteit |
| kennis<br>&<br>p.groei | Levenspad<br>&<br>Carriere | Reizen<br>&<br>Behulpzame<br>vrienden |

raam

raam

deur

— Bagua

Nu is de Bagua natuurlijk een mooie vierkante plattegrond en de kamer die je onder handen wilt nemen
waarschijnlijk niet.
Is je kamer nu rechthoekig dan kun je de Bagua gewoon meerekken tot het over de plattegrond past.

Wellicht heb je een L-vormige kamer en mis je dus
een vak. In dat geval verzin je de missende hoek er
voor het gemak even bij, zodat je toch de Bagua erover kan tekenen. Denk nu niet: 'Dat is gezellig, ik heb
geen rijkdom hoek.' Er zijn namelijk verschillende
middelen om zo'n 'blinde hoek' te activeren. Ik zal
daar in het stappenplan meer over vertellen.
Lees eerst eens de volgende beschrijvingen van de Bagua gebieden. Misschien krijg je dan een duidelijker
beeld van wat er bij jou in je leven helemaal goed zit

of juist nog helemaal niet zo lekker loopt.

Daarna zal ik je stap voor stap op een rustig en duidelijke manier door de handelingen heen leiden.

# LIEFDE EN RELATIES

Rechts boven in de Bagua is het gebied van de liefde en relaties. Als ik het hier heb over relaties bedoel ik niet alleen de relatie met je partner of de liefde tussen jou en je partner. Het staat voor relaties en liefde in elke vorm. Dus ook liefde voor je collegae, jezelf en de buurvrouw. Misschien wil je dit gebied aanpakken, omdat je meer liefde in je leven wilt, of misschien wil je graag een vriend of vriendin, of allebei.

Wellicht ben je wat vastgeroest in je relatie en hebben jullie een oppepper nodig. Wat voor associaties je ook met relaties en de liefde hebt, dit is de plek om het allemaal eens lekker te verbeteren.

Voordat je die hoek nu vol hangt met Valentijnskaarten, bekijk eerst eens hoe het je nu gaat op dat gebied. Stel dat je iets wilt veranderen in de relatie met je partner, bijvoorbeeld het feit dat jullie de laatste tijd nogal eens ruzie maken.

Hoe zit dat in die Bagua hoek in je huiskamer? Grote kans dat het daar óf een rommeltje is óf dat er iets staat of hangt dat ruzie of strijd symboliseert. De col-

lectie Ninja Turtles van je zoontje heeft geen positieve
invloed en wat dacht je van een foto van het bom-
bardement van Rotterdam?
Wat betekent een liefdevolle relatie voor jou? Wat betekent een relatie zonder ruzie? Hoe druk je dat uit?
Je kunt hier bijvoorbeeld een mooi boeket neerzetten.
Of foto's van jou en je partner op vakantie of op een
feest. Plaats hier ook objecten in paren. Alles in de
kleur rood, alles dat voor jou voor liefde staat.

Een goede vriendin van mij woont al jaren alleen. Ze
heeft geen romantische relatie want, zo zegt zij, het
lijkt wel alsof mannen bang voor haar zijn. Ze heeft
trouwens ook geen tijd voor een relatie, want ze is
een fervent schilderes en daar vult ze ieder vrij moment mee. Ze heeft wel een enorme vriendenkring.
Daarvan komen er oneindig veel bij haar voor steun
en raad, maar het lijkt wel alsof ze een stukje verhe-
ven is boven die mensen. Er zijn maar heel weinig
personen waar zij terechtkan.
Een blik in haar kamer is genoeg om te zien waarom
dat zo is. Ten eerste is het al moeilijk de verschillende
gebieden van de Bagua in haar woonruimte te onder-
scheiden, het staat er namelijk helemaal vol met schilderijen. Midden in de kamer staat haar schildersezel
met daarnaast een tafel met wel honderd flessen en
tubes verf, penselen, pastelkrijt, mengbakken en ga zo
maar door. Dan staat er nog een tafel met het stilleven
waar ze op dat moment mee bezig is. Meestal een wild
boeket met raar exotisch fruit en allerlei objecten in
felle kleuren. De schilderijen die ze af heeft, staan kris
kras door de kamer. Aan de wand, op de grond tegen

de bank, tegen de muur. Overal waar je kijkt een overvloed aan kunst.

Niet zo gek dat ze geen tijd heeft voor amoureuze avonturen, deze vrouw leeft voor en met haar schilderskunst. Het allermooiste is waarom mannen niet echt tot haar schijnen te komen.

In haar relatie- en liefdeshoek staat namelijk een prachtig beeld van een vrouw. Zij noemt het 'the goddess' (de godin). Het staat daar helemaal alleen op een pilaar, in het spotlicht. Precies zoals het er in haar leven voorstaat. Een zeer geliefde vrouw, mensen komen naar haar toe, maar zij is onbereikbaar voor een 'normale' romantische relatie.

Nu is mijn vriendin wel blij met haar leven zoals het nu is. Ze is dus ook niet van plan om naast haar godin het beeld van een mooie adonis neer te zetten, voorlopig althans.

# Kinderen en Creativiteit

Rechts van het midden en onder de liefde en relaties vinden we het kinderen en creativiteit gebied. Is er een kinderwens, dan raad ik je zeker aan om je bed in dit deel van je huis te zetten. Als dat onmogelijk is, dan toch zeker in dat deel van de slaapkamer.

Ook als je niet direct op kinderen zit te wachten, is dit deel van de Bagua toch heel belangrijk. Het staat namelijk ook voor je creativiteit en projecten, bijvoorbeeld op het werk. Rommel in dit gebied kan een blokkade in je creatieve ideeën opleveren. Als je kinderen hebt of met kinderen werkt, dan zal het zeker ook je relatie met hen negatief beïnvloeden. Wil je dit gebied verrijken, ontdoe het dan allereerst van alle rommel. Een wasmand of vuilnisbak kun je hier beter niet hebben staan. Plaats er dan voorwerpen die het gebied positief beïnvloeden. Wat vind je creatief? Wat associeer je met kinderen en creativiteit?

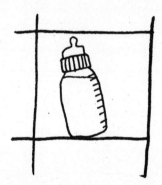

Met de hand gemaakte objecten, een tekening, een uitbundige bos bloemen? Ikzelf heb thuis hier drie foto's hangen van toen ik 8 jaar oud was, helemaal on-

der de verf, want ik was zeker creatief als kind. Die foto's herinneren me aan een tijd dat het me niet zozeer
ging om het eindresultaat, als wel om het feit dat ik
gewoon onbekommerd bezig was.

Ik heb een spreuk op mijn bureau 'to live a creative
life, we must loose our fear of being wrong'. Om een
creatief leven te leiden, moeten we de angst om te fa-
len loslaten; zo waar en zo lastig soms.

# REIZEN EN BEHULPZAME VRIENDEN

Op de onderste lijn van de Bagua, rechts van het midden, liggen onze behulpzame vrienden en ook reizen. Ikzelf ben gek op reizen en ik kan net zo opgewonden raken over een vierweekse trip naar Thailand als over een dagtochtje naar Madurodam, eerlijk. Om te zorgen dat het reizen voldoende in mijn leven aanwezig blijft, liggen in dit gebied mijn reisboeken, foto's van exotische bestemmingen, maar ook mijn beschilderde miniatuurklompjes om me eraan te herinneren vaak naar Nederland terug te keren. Dit is ook een uitstekende plek om je paspoort op te bergen en een souvenir van vakantie. Pas wel op dat je het er weer niet zo vol zet dat het onder de categorie rommel valt.

Dit gebied zorgt ook voor de 'behulpzame vrienden' in het leven, dit zijn niet alleen de mensen die je komen helpen verhuizen op hun vrije zaterdag, maar ook die behulpzame krachten die niet direct binnen het gezichtsveld liggen. Noem het een beschermengel, spirituele gids, God, in wat voor vorm het ook tot je komt, iedereen heeft hulp nodig in zijn of haar leven. Gebruik dit gebied om ervoor te zorgen dat je deze steun altijd houdt. Plaats hier een foto van je vrienden, of een symbool met een spirituele of religieuze betekenis. Een (schone) spiegel of een kristal zal hier ook de energiestroom verbeteren.

# CARRIÈRE EN LEVENSPAD

In het midden van de onderste lijn van de Bagua ligt ons levenspad en carrière. Wanneer het niet goed is opgeruimd in het carrière gebied of er staan objecten die de Chi stroom anderszins negatief beïnvloeden kan het leven heel vermoeiend zijn.

Bij carrière hoef je niet meteen te denken aan snelle zakenlui en mannen in pak, maar vooral over wat jouw carrière is. Wat doe je het liefst in het leven? Wat is je allerdiepste verlangen, als je heel eerlijk bent tegen je zelf? Doe je dit al, of ga je dagelijks naar een baan die lijnrecht tegenover je verlangens staat? Is er een bezigheid waarbij je alle zorgen, tijd en pijn vergeet? Ons levenspad is iets waar iedereen op een gegeven moment over nadenkt. Voor velen is dit het grote thema in hun leven. Dit vlak op de Bagua is dan ook heel belangrijk. En is van groot belang voor je dagelijks geluk. Dit is een gebied dat je ook heel duidelijk ziet op bijvoorbeeld je bureau of werktafel. Kijk eens naar je bureau op dit moment en leg er de denkbeeldige Bagua plattegrond overheen. De ruimte vlak voor je is jouw carrière gebied, Zeg eens, eerlijk hoe ligt het erbij? Papier, pennen, vuile kopjes, ongeopende post, boeken die je nog wilt lezen, erger nog een vuile asbak? En hoeveel plek is er daadwerkelijk om aan te werken, hoeveel leeg bureau kun je nog zien? Dit zegt veel over hoe helder jouw levenspad is. Of is je werkvlak zo spic en span, en helemaal opgeruimd zodat er eigenlijk niets over is om je te inspireren. Voor een gezonde Chi stroom is het noodzakelijk dat je dit gebied overzichtelijk en schoon houdt en verbetert met de juiste voorwerpen en symbolen. Alles wat te maken heeft met water, zoals een binnenhuisfonteintje, een viskom of foto's van de zee zijn zeer fortuinlijk voor je carrière/ levenspad. Ook objecten in donkere kleuren, spiegels en alles wat een persoonlijke associatie heeft met dit onderwerp.

# Kennis en persoonlijke groei

Links van je levenspad ligt het gebied van persoonlijke groei en kennis. Het is goed om extra aandacht te schenken aan dit gebied wanneer je bijvoorbeeld bezig bent met een studie, moeite hebt met concentreren of betere inzichten zou willen in je leven. Om kennis en groei te bevorderen is het nodig dat er kalmte is. En dan vooral kalmte in jezelf. Het is belangrijk dat er ruimte en rust zijn voor nieuwe dingen.

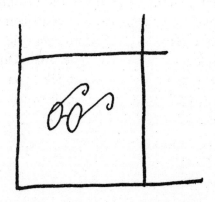

Hoe creëer je die? Door ervoor te zorgen dat het opgeruimd is in dit gebied van je huis of kamer, dat er voorwerpen zijn die rust en kalmte uitstralen.
Ben je met een studie bezig, bewaar hier dan je boeken en aantekeningen op een overzichtelijke manier. Beter geen dingen die afleiden, losse blaadjes, telefoon of televisie.
Het begrip kennis strekt verder dan alleen academische kennis, of boekenkennis, het is ook een innerlijk weten.

In de USA is een onderzoek gedaan waaruit bleek dat we gemiddeld zo'n 60.000 gedachten op een dag hebben en het merendeel van die gedachten zijn iedere dag hetzelfde. Je blijft maar dezelfde dingen denken, dag in dag uit.

Wanneer had je voor het laatst een geheel nieuw idee, een hele nieuwe ingeving?

Wanneer je het gebied van kennis en persoonlijke groei verbetert, verbeter je tegelijkertijd je leervermogen, je concentratie en je innerlijke raadgever.

Ook een goede manier om rust en orde in dit gebied te creëren is door hier een meditatiehoek in te richten, wellicht met een soort van altaar.

Gebruik je creativiteit, je kunt het heel simpel houden of een complete  tempel nabouwen.

Een lekker kussen of gemakkelijke stoel, een paar waxinelichtjes en misschien wat wierook of aromatische oliën.

Een altaartje is zo opgezet, een bijzettafeltje met een mooie lap erover, twee kaarsen, bloemen,  een inspirerende afbeelding of een kristal.

# REPUTATIE EN BEROEMDHEID

Hoe zit het eigenlijk met je reputatie? Word je nog wel eens uitgenodigd voor een leuk feest? Ga je voor een Gouden Kalf, Gouden Palm of een Oscar?
Onderschat de waarde van dit Bagua gebied niet. Het ligt midden achter op de Bagua, tussen de liefde en relatie en rijkdom en overvloed. Natuurlijk is reputatie niet alleen belangrijk voor figuren in het spotlicht. Iedereen heeft een reputatie, hoe bescheiden ook, je straalt iets uit naar je omgeving. Je hebt waarschijnlijk zelf ook een mening of een idee over anderen.

Het is niet altijd zo makkelijk in te schatten hoe je overkomt bij de bakker of je collegae. Een goede graadmeter is vaak om te kijken hoe mensen zich naar jou gedragen. Komen mensen naar je toe voor advies en een luisterend oor, grote kans dat je dan vertrouwen, wijsheid en integriteit uitstraalt. Staat je antwoordapparaat tegen het weekend altijd vol met uitnodigingen voor feesten en partijen, dan kan ik me voorstellen dat je bekend staat om je gezelligheid en enthousiasme.

Wanneer je lekker in je vel zit, straal je toch zeker heel iets anders uit dan wanneer je als een stuk chagrijn door het leven gaat?

Het klinkt simpel en een hoop mensen hebben wellicht iets van 'wat kan mij het toch schelen wat een ander van me denkt' en daar hebben ze natuurlijk ook helemaal gelijk in. Vergeet alleen niet dat alles wat je uitstraalt uiteindelijk van binnenuit komt. Dit boekje is ook alleen bedoeld als een handleiding hoe je zelf bepaalde dingen positief kunt beïnvloeden wanneer je daar zin in hebt. Je hoeft ook niet als Popie Jopie door het leven. Wat ik wel zeg, is dat je het leven als een stuk positiever zult ervaren als je de waardering hebt van de mensen om je heen.

# OUDEREN EN FAMILIE

Ha, gezellig de familie. Bron van gezelligheid en helaas soms ook van pure ellende.

Dit gebied staat niet alleen in het teken van je directe familie, maar ook van je familiegeschiedenis, je voorvaderen, je 'roots' zoals ze in het Engels zeggen. Wat is jouw relatie tot je familie? Wat is je plaats in het gezin?

Het heeft niet alleen met familie te maken, maar ook met ouderen, en dan oudere mensen in je omgeving en ook mensen met autoriteit, je baas op het werk bijvoorbeeld of de leraar op school. Het is belangrijk dat je voorwerpen plaatst in dit gebied die mooie gevoelens oproepen.

Je familie is je achterban, de onzichtbare steun waar je je niet altijd bewust van bent. Een galerijtje met familieportretten is hier uitstekend op z'n plaats. Wel natuurlijk foto's die fijne herinneringen oproepen. Als je geen fijne band of herinneringen hebt met familie, dan kun je hier dingen plaatsen die dat wel voor jou symboliseren. Een prachtig bloeiende plant bijvoorbeeld, of een inspirerende poster of pakkende spreuk. Ik kan hier wel een voorbeeld uit mijn eigen leven geven.

Ik was net naar Londen verhuisd en zoals je misschien al wist, zijn de meeste huizen die je daar huurt al gedecoreerd en gemeubileerd, zo ook mijn appartement.

Ik had het huis met wat er was zo aantrekkelijk mogelijk gemaakt en hoopte er maar het beste van. Ondertussen zocht ik naar werk. Ik wist niet zo goed wat, en dacht dat het wellicht wel leuk zou zijn om in een van die grote trendy restaurants in Londen te gaan werken.

Dat had ik tijdens mijn reizen en mijn studie ook altijd gedaan en ik vond dat gezellig en sociaal werk. In Nederland had ik daar altijd goed mee verdiend.

Heb je daar trouwens problemen mee meteen even het volgende blokje lezen (rijkdom en overvloed).

Nou, hoe ik ook probeerde, ik kwam al niet door het eerste gesprek heen. En ik vond het autoritaire types die restaurant managers, ongelooflijk, eindelijk vond ik dan een baan als serveerster, dacht ik. Na een dag in een soort gevangenispakje rondgelopen te hebben, met als enige taak asbakken verschonen en kruimels tussen de stoelzittingen en -leuningen uit te peuteren, had ik het gehad. Huilend kwam ik 's avonds thuis, mezelf belovend dat ik nooit meer een voet in een restaurant te zetten.  Je moet toch onderaan beginnen, werd mij door vriendlief verteld. Hoezo onderaan? Wat onderaan, wist hij  niet wie ik was? Ik liet mij door niemand iets vertellen.

Oké, terug naar de Bagua. In mijn woonkamer was in mijn ouderen en familie vlak een vreselijk wandmeubel waar ik niet eens naar wilde kijken. Het zat vast aan de wand en het kon er dus ook niet weg. En als ik zeg vreselijk bedoel ik ook echt af-schu-we-lijk! Met van die plakspiegels waar je je zelf ook helemaal verknipt in zag.

Ineens begreep ik waarom ik zulke problemen had met iedereen die zich ook maar half autoritair opstelde.

Ik heb toen een hele mooie lap over het gedrocht gespannen, met een prachtige plant erop, foto's van mijn familie in Nederland neergezet en toen gekeken hoe het met mijn zoektocht naar werk zou gaan.

Ik weet dat het ongelooflijk klinkt, maar binnen twee weken kreeg ik via via een sollicitatiegesprek met de 'general manager' van een hele mooie sportschool. Ik had totaal geen problemen met het hiërarchische systeem en kreeg zelfs na twee maanden de positie van assistant-manager aangeboden.

# RIJKDOM EN OVERVLOED

Dit gebied vind je links achter in de Bagua. Ik merk vaak dat dit een gevoelig onderwerp is voor veel mensen. Overvloed is ook wel een raar fenomeen in onze gemeenschap, kijk bijvoorbeeld alleen al naar de uitdrukkingen die er bestaan over geld.

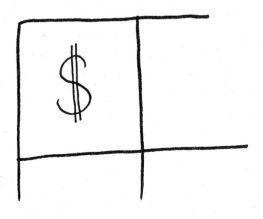

'Geld stinkt', 'geld maakt niet gelukkig', 'achter elk fortuin schuilt een misdaad', 'rijke stinkerd', en zo kun je er vast nog wel een paar noemen.
Ga eens na wat je eigen opvattingen zijn over geld en overvloed. Wat betekent rijkdom voor jou? Misschien betekent overvloed wel een hoop vrije tijd of een grote sociale kring. Kijk eens hoe het zit met je financiële situatie? Valt je salaris altijd in dezelfde bodemloze put of gaat er iedere maand een flink bedrag naar de spaarrekening? Heb je een regelmatig inkomen of leef je de laatste dagen van de maand van het statiegeld van de flessen op het balkon?

Hoe ligt dit Bagua gebied erbij? Valt het in de keuken of in de studiekamer, staat er een rommelkast of een dode ficus, grote kans dat je inkomsten ook rommelig of nauwelijks in leven zijn. In het onfortuinlijke geval dat het toilet precies in dit gedeelte van de Bagua ligt, kun je een aantal dingen doen. Verhuizen, verbouwen of het volgende: ten eerste houdt het toilet gesloten wanneer het niet in gebruik is. Volgens de oude Feng Shui regels zijn afvoerkanalen zeer nadelig voor een gezonde Chi stroom. Een afvoerputje maakt namelijk geen onderscheid tussen het badwater en de energie stroom. Wat ook goed werkt, is een grote spiegel op de deur van het toilet, waardoor de Chi, die niets vermoedend zijn ondergang tegemoet gaat richting wc, zo wordt teruggezonden. Zorg ook dat het toilet goed verlicht is en fris en schoon.

Plaats in dit vlak van de Bagua symbolen die rijkdom uitstralen. Het spaarvarken of de familiejuwelen. Een foto van de kinderen of een binnenhuisfonteintje, zodat het geld binnen 'stroomt'.

# GEZONDHEID EN EENHEID

Precies in het midden van de Bagua ligt het gebied dat heerst over jouw gezondheid en eenheid.

Dit is misschien wel het belangrijkste gebied in de woning. Kun je je voorstellen hoe je leven er uitziet zonder eenheid, zonder duidelijke focus?

Ook gezondheid, zeker het mooiste geschenk dat we ooit kregen van moeder natuur. Kun je je voorstellen hoe het is als we het zonder zouden moeten stellen?

Zonder gezondheid zijn al die andere gebieden zoals rijkdom, relaties, vrienden en carrière toch waardeloos?

Als we geen focus hebben, geen eenheid, hoe kunnen we dan in hemelsnaam weten waar we aan willen werken?

Hoe kun je zien dat je aan je relatie of aan je creativi-

teit moet werken als je geen basis hebt, geen middelpunt, geen anker?

Hoe zit het met je gezondheid, heb je een blakende
gezondheid met rode appelwangen? Of meer zo een
van verkouden omdat 'het heerst' of griep omdat het
toevallig november is. Heb je meer dagen vrij  vanwege 'sukkelen' dan vanwege 'snipperen'?

Gezondheid is iets waar we aan moeten werken, iedere dag, met beweging, voedsel, bewustzijn en onze
omgeving.

Het is enorm belangrijk dat er een rustpunt in de woning is. Dat er een ruimte in het midden van de woning is, die rust en evenwicht uitstraalt.

Hetzelfde geldt voor het midden van een kamer en
het midden van je bureau.

Zorg dat het hier altijd goed verlicht en opgeruimd is.

# Kleuren

Wel eens gaan winkelen wanneer je er enorm de pest in had?

Bij mij in de familie hebben we er zelfs een speciale naam voor, 'textiel therapie', wat er op neer komt dat je iets leuks voor jezelf gaat kopen, omdat je denkt dat je beter zal doen voelen. Je zult dan merken dat dat je je tot bepaalde kleuren aangetrokken voelt waar je in andere omstandigheden niet zo snel aan zou denken. Dat gebeurt niet alleen als je niet lekker in je vel zit. Maar ook als je bijvoorbeeld heel verliefd bent. Dan zal je smaak in kleur verschillen met wanneer je niet verliefd bent.

Eerlijk gezegd is dit geen verstandig moment om inkopen te doen. Ik heb het vaak genoeg gedaan, maar mijn kanariegele tuinpak heb ik slechts één keer gedragen. Ik heb mijn partner ook nooit kunnen uitleggen waarom ik toch echt die turkooizen laarsjes nodig had.

Kleur heeft een enorme energetische waarde. Net als ieder mens heeft ook iedere kleur een bepaalde trilling. Deze trillingen vibreren mee met onze trilling en hebben verschillende kwaliteiten naar gelang de kleur. Onderschat de invloed van kleuren niet. 'Ik zie helemaal niets trillen' zul je zeggen, maar kleur heeft wel degelijk een grote invloed op hoe wij ons voelen en gedragen. Kijk alleen al naar het enorme aanbod in kleurbehandelingen, Aura soma, chakratherapie, kleurentherapie, etc.

Je hoeft geen kleurenspecialist te zijn om de verschillende effecten van kleur te ervaren.

Je weet veel meer dan dat je, zo op het eerste moment, misschien beseft. Zonder ook maar iets van kleurbetekenissen af te weten, zul je waarschijnlijk een pastelblauw eerder als rustgevend benoemen, dan als opheffend. En vuurrood eerder als krachtig en vitaal dan kalmerend.

Iedereen heeft lievelingskleuren en kleuren waar ze de binnenkant van de garagedeur nog niet in zouden schilderen. Veel van ons zullen een kleur hebben waar we ons sterk tot aangetrokken voelen en die kleur zal ook nooit veranderen. Zo'n kleur waar we altijd weer op terugvallen, zegt veel over onze persoonlijkheid.

**Blauw :** dit is een koele en kalmerende kleur. Blauw inspireert ons, geeft helderheid en stimuleert de geest. Mensen die veel blauw dragen, hebben rust om zich heen nodig en willen niet gehaast worden. Zachtblauw is ook goed voor een gezonde nachtrust. Te veel donkerblauw kan een negatief effect hebben op onze gemoedstoestand.

**Geel:** staat voor enthousiasme en communicatie. Het is een vitale kleur en kan wel een stootje hebben. Zorg er wel voor dat het een 'echte' geel is, zoals citroen of zonnebloemgeel, en niet een vervuilde geel. Volgens de overleveringen zorgt de vervuilde versie, zoals mosterdgeel, voor jaloezie en negativiteit. Geel wordt verbonden met onze rationele vermogens en is daardoor goed om helderheid te brengen in ingewikkeld lijkende zaken.

**Rood:** vol energie en creativiteit. Rood is krachtig, sterk en kan depressie voorkomen. Te veel rood kan echter ook gevoelens van ongeduld en irritatie veroorzaken. Deze kleur draagt ook een sterk seksuele energie in zich.

Mensen die veel rood dragen, staan graag in de belangstelling. Snelheid, ambitie, uitbreiding en leiderschap zijn termen die bij deze kleur horen. Heerlijk als je een oppeppertje nodig hebt. Lekker je rode das om, of je kapje op.

**Wit:** deze kleur heeft alle andere kleuren in zich en is tegelijkertijd de puurste kleur van het hele stel. Het is een kleur die een innerlijke balans brengt en ons beschermt tegen negatieve invloeden en energetische vervuiling. Te veel wit kan ons ook te veel afscheiden van anderen en daardoor een gevoel van eenzaamheid meebrengen.

**Groen:** deze kleur helpt uitstekend bij stressvolle periodes in ons leven. Ik noem het een luierkleur, van luieren. Waarschijnlijk doordat het ons doet denken aan de natuur. Languit in het gras met een boek of picknicken in het park met de hele groep. Het is ook een kleur die ons helpt te verbinden met anderen. Vervuild groen helpt net als bij geel mee aan gevoelens van jaloezie en negativiteit.

**Oranje:** dit is de feestkleur. Rekent af met gevoelens van depressie, zelfmedelijden, koppigheid en meer van dat soort vervelende zaken. Het is de kleur van uitbundigheid, nieuwe ideeën, genieten van het leven. Niet voor niets ook dat het op Koninginnedag altijd extra gezellig is. Toch?

**Bruin:** is een kleur die ons met beide benen op de grond houdt. Het is een kleur die verbonden is met de aarde, vandaar. Bruin kan ook betekenen dat er iets wordt verdoezeld, het onderdrukken van emoties en het niet uitspreken van de ware gevoelens.

**Zwart:** dit is een kleur waar we vaak naar terug grijpen. Het is gemakkelijk om ons helemaal in het zwart te steken. Het schermt ons af van de wereld. Tenminste, dat denken we.
Het is een kleur die ons eigenlijk tegenhoudt. Met zwart hoeven we niet na te denken of te veranderen. Het heeft wel wat mysterieus. Niet goed bij gevoelens van depressie.

**Grijs:** sluit wel leuk aan bij zwart. Deze kleur werkt ook als een bescherming tegen invloeden van buitenaf. Maar deze kleur geeft toch een negatief gevoel af. Het is een kleur die zich niet verbindt. Is nergens bij betrokken. Hoort nergens bij en vervalt in eenzaamheid. Hangt echt tussen zwart en wit in. Als ik iets positiefs over deze kleur moet zeggen, dan is het de onafhankelijkheid die grijs uitdrukt.

**Turkoois:** als ik aan turkoois denk dan denk ik aan die prachtige ansichtkaart stranden in Thailand en de Bahama's. Het is een perfecte mix van groen en blauw. Het geeft gevoelens van opgewektheid, uitrusten en een nieuw begin. Het helpt de creativiteit en communicatie. Het lijkt wel een verkooppraatje, maar met turkoois kun je eigenlijk niet fout gaan.

**Paars:** wordt geassocieerd met ons hoger bewustzijn. Is voor psychische bescherming en helderheid. Het is een kleur van transformatie en diepe inzichten. Brengt ons dichter bij onze spiritualiteit en onze creativiteit. Je hoeft je niet geheel in het paars te hullen om van deze kwaliteiten gebruik te maken. Een hanger of een sjaal in die kleur heeft hetzelfde effect.

Niet iedereen heeft dezelfde voorkeur voor een bepaalde kleur over hun gehele leven.
Sommigen onder ons zullen merken dat hun smaak in kleur over de jaren sterk is veranderd.
Vaak verandert dat, omdat je door een bepaalde periode ging die andere kwaliteiten vereiste. Kijk eens wanneer je smaak in kleur veranderde?
Probeer eens na te gaan wat er toen gaande was in je leven. Grote kans dat de kleuren die je toen prefereerde bepaalde kwaliteiten hadden die je toen nodig had.

Nu je een idee hebt van de verschillende eigenschappen van kleur kun je ze in je huis gebruiken. Je hoeft niet meteen het hele huis te decoreren om een ander effect te verkrijgen. Je kunt hier en daar een accent aanbrengen met een schilderij of een nieuwe kleur kussens op de bank of een fel rode deken op het bed.

# STAP VOOR STAP

Eindelijk genoeg frustratie opgebouwd om iets te veranderen?
Eindelijk genoeg motivatie om aan het werk te gaan? Eindelijk wel eens zin om wat meer rust of juist opwinding in je leven te creëren? Dan is het nu tijd om aan de slag te gaan.
Zoals mijn grootvader zou zeggen: 'Voorbereiding is het halve werk'. Daar heb ik altijd goed naar geluisterd en ik raad je dan ook aan, het volgende neer te leggen voordat je met passen en meten begint.
Voor een goede sessie heb je nodig:
Papier
Een pen
Een potlood
(ruitjes)papier
Een kleurpotlood

**Stap Een:**
Schrijf op het vel papier de volgende negen categorieën:
Liefde en Relaties
Kinderen en Creativiteit
Behulpzame vrienden en Reizen
Levenspad en Carrière
Kennis en Persoonlijke ontwikkeling
Familie en Ouderen
Rijkdom en Overvloed
Reputatie en Roem
Gezondheid en eenheid.

Ga nu een voor een deze 'hoofdstukjes' af en schrijf alles op wat er in dit gebied voor jou speelt. Dus wat je ervan vindt, hoe het ermee staat, hoe het beter zou kunnen, dat soort dingen. Zeg, je zit onder Rijkdom en Overvloed, je lijstje kan er dan bijvoorbeeld zo uitzien: nu - onregelmatig, altijd rood staan, schulden. Liever - regelmatig, tegoed, bonus, meer, beter beheer, meer vrije tijd, minder zorgen.

Onder Reputatie en Roem: nu - weinig waardering, geen uitnodigingen, slecht contact met collegae. Liever - meer sociale contacten, waardering voor werk, een vol antwoordapparaat.

Op deze manier ga je dan alle negen kopjes af.


**Stap Twee:**

Besluit welk deel van je huis je als eerste onder handen gaat nemen. Begin met een 'gemakkelijke' kamer, zeg de huiskamer. Deze ga je tekenen. Als je nu niet zo'n ster bent in het tekenen uit de losse hand, dan mag je best smokkelen met ruitjespapier. Eerst teken je de omtrekken, niet te klein, en geef je aan waar de deur is en de ramen zijn en vergeet geen dingen als erkertjes, open haarden etc.

Draai de plattegrond, want als het goed is heb je die nu getekend, zodanig naar je toe dat de zijde met de (meest gebruikte) ingang, naar je toe ligt.


**Stap Drie:**

Nu teken je er met een ander kleurtje de Bagua erover heen. Als je kamer wat langwerpiger is, moet je de Bagua wat meerekken. Het is het gemakkelijkst wanneer de kamer gewoon vier wanden heeft, maar er kan ook een 'knik' inzitten of het kan een L-vormige kamer zijn.

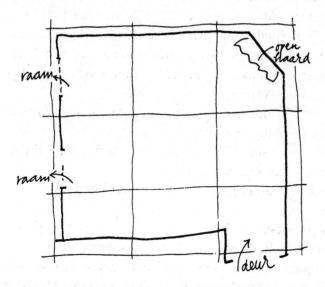

In de laatste twee gevallen, teken je de missende hoeken er, voor het gemak, zo lang even in. De onderste lijn van de Bagua, dus die waar je de Kennis, Levenspad en Behulpzame vrienden vindt, moet parallel liggen met de wand waar de ingang van de kamer zit.

**Stap Vier:**
Nu kun je een eerste indruk krijgen van hoe jouw leven zich verhoudt ten opzichte van jouw kamer. Je kunt nu namelijk de lijst erbij pakken die je bij Stap Een hebt gemaakt en kijken in hoeverre je al enig inzicht kunt krijgen. Is het erg stoffig in het relatiegebied? Ligt de koffietafel in je creativiteitsgebied helemaal vol met oude kranten, papieren en prullen? Misschien hangen de vakantiefoto's inderdaad al in

het gebied van de behulpzame vrienden en reizen. Ga de Bagua zo eens af met de lijst ernaast.

## Stap Vijf:

Dit is het moment om verbeteringen en veranderingen aan te brengen. Ga eerst eens goed opruimen. Voor sommige mensen zal dat moeilijk zijn om alle redenen die we in het 'rommel' hoofdstuk bespraken, maar ik garandeer je dat, zodra je over de drempel bent, het je zo makkelijk af zal gaan. Kijk voor alle veranderingen in de desbetreffende omschrijvingen van de Bagua gebieden.

# Cacao

Het leuke van het werken met de Bagua is dat je nooit klaar bent. Je kunt het vergelijken met het Droste effect.

Je hebt vast wel eens zo'n ouderwets Droste cacaoblik gezien, waarop een verpleegster staat afgebeeld met een dienblad met kopjes en een blik Droste cacao, op dat blik staat weer een verpleegster met een dienblad met kopjes en een blik Droste cacao, waarop ook weer een verpleegster staat met een dienblad met kopjes en een blik Droste cacao etc.

Het Droste effect dus, een afbeelding in een afbeelding.

Zo ook met de Bagua. Je kunt de Bagua tekenen over de hele plattegrond van het huis en dan kun je weer een Bagua tekenen over een Bagua vlak en zo verder. Dan krijg je een heel huis en een gebied in de kamer en dan weer een gebied in dat gebied en zo verder.

Volg je me nog?

Je hebt je huis aangepakt volgens de Bagua tekening, bijvoorbeeld je slaapkamer ligt in het liefdesgebied. Dan kun je binnen de slaapkamer ook weer de Bagua toepassen en alle verschillende gebieden binnen het liefdesvlak aanpakken.

Nog een voorbeeld:

Je hebt net het carrièregebied onder handen genomen, je hebt je werkkamer daar gemaakt en je wilt het nog meer versterken.

Waar werk je aan? Een bureau of werktafel, prima, die kun je dus ook weer met de Bagua te lijf gaan.

Je tekent dan gewoon de omtrek van het bureau of

tafel en dan teken je daar de Bagua kaart even overheen.

Ik  vind het altijd heel leuk om naar bureaus van anderen te kijken, je kunt daar zoveel uithalen over de
persoon die eraan werkt.

We spraken eerder al heel kort even over bureaus, in
het hoofdstuk over rommel.

# BUREAUS

Je kunt dit dus ook doen omdat je geen zin hebt om je hele huis onder handen te nemen, omdat je op een studentenkamer woont van twee bij drie, omdat je liever blijft zitten waar je zit of gewoon omdat je liever klein begint.

Ik breng zoveel tijd door aan mijn bureau dat het noodzakelijk is dat ik het Bagua principe handhaaf op mijn werkvlak.

En dat is niet altijd even makkelijk. Het lijkt wel alsof er een onaflatende stroom papieren, folders, krantjes en tijdschriften mijn huis binnenkomt, 365 dagen per jaar.

Iedere dag gooi ik alle goedbedoelde reclamefolders bij het oud papier. Alle papieren die niet langer nodig zijn, gaan daar ook altijd meteen bij, en het gebruik van memoblaadjes probeer ik tot een minimum te beperken.

Trouwens die gele memo blaadjes, die plakkende, daar kun je bijna een hoofdstuk apart aan wijden.

Sommige mensen zijn daar, geloof ik, verslaafd aan. Wanneer je zelf niet tot die categorie behoort dan ken je vast wel iemand die dat wel is.

Zulke mensen kunnen nog net het beeldscherm van hun computer ontcijferen, omdat de hele rand van het scherm is volgeplakt met al dan niet belangrijke memo's. Het gevaar van dingen opschrijven op ontelbaar losse papiertjes, al dan niet geel en plakkend, is namelijk dat je ze uiteindelijk helemaal niet uitvoert. Je ziet dan alleen nog een gele zee van gekrabbel en denkt 'eerst nog maar een bakje troost'.

Je raakt op deze manier namelijk je focus kwijt van wat echt belangrijk is.

Moet je een telefoonnummer noteren, meteen in je agenda, een datum, hetzelfde verhaal.

Plakmemo's bewaar je beter voor echt dringende zaken als 'Kip ontdooien' of 'Baby ophalen'.

Waar ikzelf die memo's wel voor gebruik, zijn voor dingen die ik niet uit het oog wil verliezen of dromen die ik graag verwezenlijkt zou zien.

Toen ik een aantal jaren terug naar Thailand wilde met mijn vriendin, had ik veel meer zin dan geld. Overal in huis hing ik toen briefjes met 'ik heb een ticket naar Thailand'. Zo hingen er wel twintig van die briefjes, op het toilet, op de badkamerspiegel, in de keuken, bij de kapstok. Je kon het zo gek niet bedenken of er hing er weer een. In de broodtrommel, op het dashboard. De reden hiervoor was dat waar ik ook heenging, ik steeds de boodschap 'ik heb een ticket voor Thailand' las. Op een gegeven moment kreeg ik dus vanuit totaal onverwachte hoek, namelijk de belasting, een flinke meevaller en was ik de trotse bezitter van een retourtje Schiphol-Bangkok.

Hoe meer je het herhaalt voor jezelf, hoe meer waar het wordt en op een gegeven moment is het dan een onderdeel van je realiteit.

Nu gaan we wel een hele andere materie in, en waarschijnlijk denk je dat dit wel heel ongeloofwaardig klinkt, maar je kunt het allicht proberen.

Waar hadden we het ook alweer over? Bureaus, ja, Bagua erover en wat zie je?

Rechts bovenin, Liefde en Relaties geheel opgevuld door beeldscherm en harde schijf. Links bovenin,

Rijkdom en Overvloed, overwoekerd door onbetaalde rekeningen en herinneringen van de telefoonmaatschappij. Links onderin, Kennis en Zelfontwikkeling nog net zichtbaar onder de vuile kopjes. Moet ik nog even doorgaan? Ook deze Bagua is een miniatuurweergave van jouw leven. Of de plattegrond nu wordt getekend over de hele lap grond waar je huis opstaat met tuin, garage en tennisbanen of dat het is getekend over een oude deur op twee schragen, jouw werktafel, de Bagua is altijd de weergave van jouw leven. Met andere woorden, het is hier weer belangrijk dat je dit gebied zo overzichtelijk mogelijk houdt.

Wat heb je echt nodig: telefoon, verdien je met de telefoon je geld, zet die dan in het Rijkdom en Overvloed vlak. Computer, zeker nodig? Zet deze dan op zo'n zwenkarm zodat het niet teveel ruimte inneemt van één van de Bagua vlakken, of anders op een aparte tafel.

En verder geldt gewoon voor alles, opruimen!! Behoudt alleen het allerbelangrijkste op je tafel, en dat verschilt per persoon. Kijk wat voor jou belangrijk is, een nietmachine heb je waarschijnlijk niet de hele dag nodig en zeker niet de doos reservenietjes die erbij hoort. Naar de perforator grijp je waarschijnlijk ook niet iedere vijf minuten. Hetzelfde geldt voor de memoblaadjes, de millennium voorraad paperclips, verdroogde correctielak. Al deze dingen kunnen in een speciaal daarvoor aangewezen lade. Hoe leger je bureau, hoe meer ruimte er is voor ideeën, creativiteit, productiviteit en vooral helderheid. Wil je sommige aspecten accentueren dan kun je kleine symbolen neerzetten die de verschillende Bagua gebieden voor jou vertegenwoordigen. Dat kan zijn een foto van jou en je geliefde, de kinderen of je favoriete huisdier. Een bergkristal voor helderheid en rust, een plant of bloemen voor wat leven tussen het werken door. Ook hier mag je weer helemaal zelf bepalen wat werkt voor jou. Het is belangrijk dat je niet verstrikt raakt in de verlengsnoeren en kabels over en onder je bureau. Bindt snoeren samen en leidt ze langs de rand en de poten van het bureau naar waar ze toe willen.

Het beste zou ook zijn dat je werkvlak zo staat dat je een wand achter je hebt. Op deze manier voel je je als het ware gesteund in wat je doet, hetzij door familie, hetzij door collegae.

Kun je niet anders dan voor een kast zitten of met je rug naar raam, zorg er dan voor dat er een afbeelding is van iets dat als sterk of beschermend wordt beschouwd. Dus een foto met bergen of een familieportret als je je daardoor gesteund voelt.

# INSPECTIE

Laten we het huis nu eens grondig gaan bekijken. Tijd voor inspectie.

Dit kun je het beste doen voordat je begint met (her)inrichten. Je kunt op deze manier kamer voor kamer beslissen wat je wilt behouden, veranderen, verbeteren, doorbreken of weggooien.

Maar eerst gaan we naar buiten, neem een pen en papier mee en vergeet de sleutel niet.

Kijk eens van een afstandje naar je huis. Hoe ziet het eruit? Is het een rijtjeshuis, een portiekwoning, een bungalow, een villa, een galerijwoning, een caravan?

Wat voor indruk geeft je woning? Veiligheid, verveling, mooi, druk, welkom, onbewoonbaar, comfortabel, vul maar in.

Is het spiksplinternieuw of bladdert de verf eraf?

Wat voor indruk zou je willen dat het geeft? Zorg dat je huis er zodanig uitziet dat het iets over jou zegt, over de bewoners, over wat je doet, over waar je van houdt, maak het jouw woning.

Ja, ik ken al die verhalen waarom dat niet kan. Vereniging van Eigenaren, gemeentehuis, esthetisch niet verantwoord, ja ja ja .

Een goede vriendin van mij woont in de randstad in een heel leuk appartementje. Een aantal jaren geleden ging ik bij haar op bezoek, portiek in, trap op, galerij op, nummer 63, geen vriendin, niemand thuis, geen auto beneden op de parkeerplaats, waar was ze? Ik belde haar op, en het bleek dat ik op het juiste nummer was, maar in het totaal verkeerde gebouw.

Alle flats zijn daar gewoon identiek, je weet niet of je op de eerste, tweede of achtste etage bent, hoewel je hebt wel een veel beter uitzicht vanaf de achtste verdieping.

In ieder geval, wat ik hiermee wil duidelijk maken is het volgende; die vriendin van mij zei namelijk dat ze daar nu eenmaal niets aan kon doen. Ze woonde nu eenmaal in een doorsnee huisje, in een doorsnee straat, in een doorsnee buurt in een doorsnee gat. Omdat ik nu toevallig in zo'n leuke creatieve aparte woning zat, moest ik vooral niet denken dat ik haar even kon komen vertellen dat haar voordeur er een van dertien in een dozijn was.

Toen ze genoeg zelfmedelijden over haar 'doorsnee' bestaan had gespuid, heb ik tante Pollewop mee naar buiten genomen om haar een schop onder haar kont te geven en tegelijkertijd wat tips.

Net zoals wij nu naar buiten gaan.

Oké, voordeur.

Verfje nodig? Mag het in spiritueel paars of moet het in gemeente blauw. Gemeente blauw, ook prima, als het nodig is, zet je er een mooi vernisje op, want je hoeft niet te wachten tot het onderhoudsteam langskomt in maart.

Geen zin om te vernissen? Dan maak je de voordeur schoon, je haalt de spinnenwebben uit de hoeken, poetst de brievenbus en zeemt het raampje. Het maakt verschil, gewoon doen.

Wie was meneer T. Grauw? Jij woont hier nu al weer een tijd en het naambordje van de vier na vorige bewoner kan er nu best wel af.

Zet een mooie plant naast je voordeur, of zo'n ronde

aan weerszijden, laat er een klimopje langs groeien, het mag ook van plastic zijn.

Hang een plantenbak onder het raam.

Hang een windgong aan de voordeur, één die mooi klinkt natuurlijk.

Hang een spiegeltje boven de voordeur, zodat alle negatieve Chi wordt teruggezonden waar het vandaan komt.

Plak een goede sticker op de deur met een inspirerende en liefdevolle spreuk. (Niet zo een met een rottweiler en 'ik heb maar 5 seconden nodig').

Is de voordeur goed verlicht en goed zichtbaar? Een knipperende lamp die het ieder moment kan begeven, bezorgt je alleen maar irritatie zodra je 's avonds thuiskomt.

# DE INGANG

Nu, kan je voordeur helemaal open? Echt helemaal? Of staan er zoveel zakken met oude kranten achter en lege flessen die nog naar de glasbak moeten, dat de voordeur nauwelijks open kan.

Zwiep je die deur met gemak en nonchalance open en wandel je ongeremd de gang in of doe je altijd eerst nog even een hinderniscircuit over de opgekrulde deurmat, schoenen, paraplubak, lege kratjes, de fiets en het boodschappenkarretje?

Ik weet wel dat ik door blijf zagen over die voordeur, maar het is zo belangrijk. Dit is namelijk DE ingang waar de Chi binnenkomt en hoe zuiverder de energie je woning binnenkomt hoe helender het werkt in de rest van je huis. Door alleen de voordeur in orde te brengen en te zorgen dat hij helemaal open kan, verbeter je onmiddellijk de kwaliteit van de energie, dus dat is een te makkelijke manier om te laten liggen.

Wat is het eerste dat je ziet wanneer je de voordeur opent. Zoals ik al zei, opent de ideale voordeur naar een ruime lichte hal. Helaas hebben veel huizen van die kleine donkere halletjes met het toilet en de meterkast erin gepropt.

Heb je nu zo'n klein halletje, doe er dan alles aan om het zo ruim en licht mogelijk te laten lijken. Hang er een hele grote spiegel. Geen spiegeltegels, je moet een realistisch beeld krijgen, niet verknipt. Als je een spiegel alleen zodanig kunt ophangen dat hij recht voor de voordeur hangt en dus de Chi die binnenkomt er net zo hard weer uit reflecteert, hang dan een afbeelding, schilderij, foto op dat ruimte betekent voor jou. Iets met de zee, bergen, roodvlak met blauw, wat je persoonlijke smaak ook is. Gebruik ook kleuren die licht reflecteren. Onthoud dat hoe donkerder de kleuren die je in de gang gebruikt, hoe sterker de verlichting is die je moet gebruiken.

Ook als je wel een ruime hal hebt, maar het eerste wat je ziet is een muur, dan kan het zijn dat je in je eigen leven ook vaak het gevoel hebt tegen een muur te lopen, of je in ieder geval geremd voelt. In dat geval geldt hetzelfde verhaal, dus verruimen en veranderen door middel van een spiegel of ruimte gevende afbeelding.

# DE EERSTE INDRUK

Dan gaan we naar de eerste kamer die we tegenkomen, dat is namelijk het focuspunt voor iedereen die binnenkomt en vooral voor jou.

Valt je blik nu als eerste op de keuken, terwijl je al twaalf jaar probeert af te vallen, dan helpt dat niet. De keuken wordt in de meeste gevallen geassocieerd met koken, eten en drinken. In dat geval kun je het beste de deur naar de keuken gesloten houden en er iets aan bevestigen dat de Chi omleidt, hetzij een spiegel, hetzij een kristal.

Nu geef ik dat voorbeeld over afslanken, maar het kan ook heel goed zijn dat de keuken juist gezelligheid, familie en vriendschap vertegenwoordigt voor jou. Ikzelf vind niets lekkerder dan zo'n grote tafel in de keuken met de hele vriendenclub erom heen, flesje wijn en ik dan lekker tomaatjes snijden aan het aanrecht. Ik geniet van die cliché dingen in mijn leven en ik wil er alleen maar mee aangeven dat je die deur naar de keuken ook wagenwijd open kunt laten staan.

De eerste kamer die je ziet, kan ook de werkkamer zijn. Gezellig, je hebt je de hele dag in het zweet gewerkt op kantoor. Kom je thuis, jas op de kapstok en dan is het eerste dat je ziet weer een bureau, compleet met computer, fax en ongeopende post.

Dicht die kamer! Mooie poster erop van een wit palmenstrand of een Grieks vissersdorp en meteen door naar de woonkamer.

Werk je aan huis, dan is dat weer een ander verhaal. Richt je werkkamer dan zo in dat het uit-straalt wat je wilt. Wat doe je in die kamer? Verdien je daar je geld, maak je schilderijen, ontwerp je webpagina's, geef je massages?

Maak het zo aantrekkelijk mogelijk daar en gebruik de Bagua om alles zo gunstig mogelijk neer te zetten.

Pas geleden was ik nog bij iemand thuis, die net voor zichzelf was begonnen met een bedrijfje in communicatie.

Het was de bedoeling dat hij aanstaande cliënten bij hem thuis kon ontvangen en wilde daarvoor zijn kamer zo goed mogelijk inrichten. 'Maar,' zei hij, 'het moet ook weer niet het formele van een kantoor uitademen.'

Wat ik voorstelde was om de kamer zo simpel mogelijk te houden, zodat de nadruk echt zou vallen op zijn voorstellen en ontwerpen.

Omdat we het simpel wilden houden, was het van belang dat alles wat erin kwam te staan, daar ook stond met een reden. Hij wilde dat zijn bedrijf stijl, vertrouwen en originaliteit uitstraalde.

Dus er kwam een tafel groot genoeg voor een vergadering en tegelijkertijd intiem genoeg voor twee mensen. 's Avonds kon hij er met z'n partner aan dineren, dan werden de offertes even vervangen door een flesje wijn en kaarsjes.

Die tafel staat voor vertrouwen, groot, sterk, kan wel een stootje hebben en is multifunctioneel.

Een prachtig klein lederen bankje wees erop dat hij gevoel voor stijl en detail had en een sfeervol drieluik aan de muur van een veelbelovend fotograaf benadrukte nog eens z'n originaliteit en creativiteit.

Even terug naar de eerste kamer die je ziet. Dat kan de slaapkamer zijn. Voor mij betekent mijn slaapkamer rust en ontspanning, maar soms ook domweg luiheid. Wanneer ik, na een dag vol avonturen en uitdagingen, thuis zou komen en ik zag als eerste mijn slaapkamer, dan zou ik, zonder moeite, zo mijn bedje inrollen om diep, diep te ontspannen. Voor een uurtje of acht.

Ik ken een leuk stel dat zei dat ze eigenlijk nooit ergens aan toe kwamen. Ze wilden, zodra ze thuiskwamen alleen maar meteen met elkaar het dons in en de sterren van de hemel knuffelen.

En dat klopte ook weer zo goed.

Zodra je namelijk hun huis binnenkwam, zag je eerst de slaapkamer die wagenwijd openstond, de dekens nog steeds overhoop door de vrijpartij van die ochtend. Het blad met theekopjes nog naast het bed, gordijnen dicht, die hele kamer schreeuwde er gewoon om het feest van vanochtend meteen weer voort te zetten.

Ik stelde voor iedere dag, voor vertrek 's ochtends, de gordijnen te openen, de ramen even flink open te zetten zodat al die vurige Chi even goed kan verversen en circuleren, het bed op te maken en het liefst dan de slaapkamerdeur dicht.

Op die manier kwamen ze tenminste nog eens verder dan hun liefdesnestje, konden zo ook andere interessante dingen bespreken in de keuken tijdens een romantisch dineetje of tijdens het journaal in de woonkamer.

Idealiter is deze laatste de eerste die je ziet bij binnenkomst. Je komt thuis, hal door en voilà, de huiskamer.

Hier is al je comfort, lekkere bank, kussens om in weg te zakken, platen, kranten en muziekje.

Dit is echte ontspanning, dit is thuis. Ook anderen die binnenkomen en jouw woonkamer als eerste zien, zullen zich onbewust welkom voelen en jou als sociaal mens bestempelen.

In het onhandige geval dat je als eerste het toilet ziet bij binnenkomst, raad ik je aan daar meteen iets aan te doen, anders is alle Chi die je huis binnenstroomt er via deze weg ook net zo hard weer uit.

In dit geval, wc-deur dicht, altijd. Spiegel op de deur of een kristal of een windgong hangen tussen hoofdingang en toiletdeur om de Chi af te remmen. En ook altijd in het toilet de bril gesloten houden.

# CHI IN DE HUISKAMER

Wat betekent de huiskamer voor je? Wil je de Chi in de huiskamer optimaal benutten, zorg dan dat het vrij kan circuleren.

Op deze manier zorg je ervoor dat bewoners en visite zich welkom en op hun gemak voelen.

Ik weet niet of je het wel eens is opgevallen, maar veel woonkamers worden tegenwoordig ingericht rondom de televisie.

De kabelaansluiting zit in die hoek, dus daar moet in ieder geval het toestel komen.

Ik wil wel de tv gemakkelijk kunnen zien wanneer ik zit, dus moet de sofa zo staan dat we dat kunnen en het is ook wel lekker als we alvast kunnen kijken tijdens het eten. Let maar eens op wanneer je 's avonds door een straat loopt en zo quasi onverschillig door de ramen naar binnen gluurt. Niet de netste gewoonte, maar ik doe het altijd graag.

In ieder geval, wanneer je zo'n straat doorwandelt, dan zie je al die tv'tjes staan in dezelfde hoek met al de twee- en driezitters hetzelfde eromheen gerangschikt. Wil je dat de televisie het middelpunt van de kamer wordt? Volgens mij, maar dat is persoonlijk, is het veel inspirerender om de gasten en de bewoners het belangrijkste te maken. Het contact tussen jou en je partner, als je samen woont. Het contact tussen jou en de kinderen. Het contact tussen jou en je vrienden. Communicatie zou belangrijk moeten zijn. Het delen van wat je hebt meegemaakt die dag. Zelfs als je alleen woont, is het volgens mij geen goed idee om de televisie het focuspunt in je woning te maken. Want jijzelf zou het middelpunt moeten zijn. Na een drukke dag op kantoor of met huishoudelijke taken is het noodzakelijk dat je een en ander kunt laten bezinken, de dag verwerken. Even zitten met je zelf, even zeggen wat een geweldig mens je toch wel niet bent.

Even kijken of je wel bij jezelf bent gebleven vandaag. Als je dan alsnog even een exotische vakantiebestemming wilt raden bij het Rad van Fortuin, dan was je focus tenminste eerst bij jezelf en wordt het televisiekijken een bewuste keuze in plaats van een onbewuste gewoonte.

Wat zou je dus wel als focuspunt kunnen hebben in de woonkamer? Een open haard bijvoorbeeld, of een pruttelende gaskachel. Als je een open haard in de kamer hebt wel uitkijken dat hij niet zo groot is en zo hard brandt dat hij als het ware alle Chi verbruikt. In dat geval is het beter dat je er zo'n schermpje voorzet of het brandvlak wat kleiner maakt. Als Pim Pam Petten rond de kachel niet zo je smaak is, kun je ook nog wat anders natuurlijk. Bij mij thuis staan mijn vrienden in het middelpunt. Ik heb een groot dressoir met een collectie foto's van mijn dierbaren, vakantiekiekjes waarin ik zelf nogal goed uit verf kom, en twee grote kaarsen. Het is zo genieten van mooie plaatjes en herinneringen, eigenlijk gaat het de kant van een altaartje op. Daar kunnen we het hier ook wel even over hebben.

Een huisaltaar is namelijk helemaal niet zo een raar idee. Het altaar is ook niet alleen voorbehouden aan de katholieke kerk. Je kunt een altaar maken ter ere van alles. Ter ere van je familie, je huis, jezelf, je ambities en dromen, noem maar op.

Een altaar kan verschillende vormen aannemen en je kunt het zo simpel of groots maken als je wilt.

Zie het vooral voor je als een rustpunt, een plekje waar je helemaal met jezelf kunt zijn. Waar je contact kunt maken met alles dat er is. Dat kan God zijn, en als je daar niet zoveel mee hebt dan noem je het misschien wel anders, het hogere of je innerlijke stem. Je kunt er wierook branden of mediteren of bidden. Je kunt er een kaarsje branden voor iemand die op dit moment wat meer liefde of steun kan gebruiken. Een spreuk die je als levensmotto zou willen, kun je inlijsten en hier neerzetten. Kristallen, bloemen, beeldjes, plaatjes, oliën enzovoort. Alles waardoor jij in een goede altaarstemming terechtkomt. Je moet er maar een beetje mee spelen, kijken wat wel en niet voor je werkt.

Terug naar de inrichting van je huiskamer.

Als je nu slim bent, trek je even de Bagua over op de plattegrond van de woonkamer.

Richt deze kamer zo in dat er een duidelijk middenvlak is, dus het binnenste Bagua gebied.

Verder is het goed de sofa zo neer te zetten dat je je altijd gesteund voelt in de rug. Dit wil zeggen dat er geen grote open ruimte is achter de bank.

Je kent dat gevoel misschien wel, dat je op een stoel of op de sofa zit met je rug naar een deur gericht en je je niet helemaal kunt ontspannen, omdat je steeds denkt dat er iemand op je nek kan springen.

Als de indeling van je huis zich hier niet voor leent, dus de bank met 'rugbescherming', dan kun je dit oplossen door een kamerscherm of een grote plant achter de bank te plaatsen.

Vergeet niet wat we al besproken hebben met betrekking tot rommel en de verschillende levensgebieden.
Vooral omdat je zoveel tijd doorbrengt in de huiskamer is het belangrijk dat je deze zo positief mogelijk inricht.

Dit is trouwens ook een ideale plek om een klein binnenhuisfonteintje te plaatsen in de Rijkdom en Overvloed hoek.
Een vriendin van mij sprak onlangs haar ongenoegen uit over haar eeuwige geld tekort. De idee van het symbolische water dat binnenstroomt, stond haar wel aan. Ze was er wel van overtuigd dat dat gewoon niet voor haar was weggelegd.
Eerst hebben we dit vlak eens goed uitgemest. In ieder geval de dode varen eruit gegooid en na enig aandringen ook de piepschuimlekkende zitzak.
Toen een prachtig fonteintje in elkaar gedraaid van een keramiek schaal met kiezelsteentjes, een boeddha beeldje en een heel goedkoop pompje van het tuincentrum.
Binnen een week, en dit is niet overdreven, bood iemand haar vierenhalfduizend gulden voor een kunstwerk dat ze al heel lang probeerde te verkopen, en bood haar opa aan voor haar vakantie te betalen, omdat ze al zolang niet was geweest.
Pompje van het tuincentrum, wat heb je te verliezen?

# Chi in de slaapkamer

Wat doen we zoal in de slaapkamer? De slaapkamer is vaak het enige echte privé vertrek van de woning. En het toilet, maar daar hebben we het nu niet over.
Ik denk dat het een goed idee is de slaapkamer ook tot een privé vertrek te behouden.
We moeten toch zeker ergens een plekje hebben waar we ons helemaal kunnen terugtrekken. Het is van groot belang dat er een goede, zuivere energiestroom in de slaapkamer is. Hoe creëer je die precies?
Zorg er ten eerste voor dat je de slaapkamer gebruikt waarvoor hij gemaakt is. Ik bedoel daar mee dat het een ruimte blijft van rust en bezinning. Het zou ideaal zijn wanneer de ligging van deze kamer zo ver moge-lijk van de ingang van de woning zou zijn. En ook lie-ver niet zou grenzen aan de badkamer of het toilet. Maar dit is in een ideale wereld.
Er wordt mij veel gevraagd: waar zet ik mijn bed neer?
Er zijn wel een aantal richtlijnen te geven voor de plaatsing van het bed, maar het is nog belangrijker te luisteren naar je gevoel, je intuïtie in dezen. Het liefst hebben we natuurlijk allemaal een slaapkamer met een oppervlakte van een aardige paleiszaal, zodat we een oneindig scala aan mogelijkheden hebben waar we toch ons kingsize bed eens neer zullen gaan zet-ten.
De werkelijkheid is vaak anders, sterker nog, ik weet niet in wat voor maat bedden de gemiddelde architect sliep deze eeuw, maar kan iemand me misschien ver-tellen hoe we überhaupt een dubbelbed in de slaap-

kamer krijgen met genoeg ruimte om er omheen te kunnen lopen?

Volgens de Feng Shui regels zou het bed niet op het pad tussen het raam en de deur moeten staan. Sterker nog, liever met het hoofdeinde tegen een muur en zover mogelijk verwijderd van ramen en deur.

Wanneer het echt niet mogelijk blijkt het bed zodanig te positioneren dat het niet op een Chi verkeersader ligt, dan is het een idee er bijvoorbeeld een gordijn tussen te hangen of een kamerscherm tussen te zetten.

Een andere manier om de Chi stroom wat af te remmen, is door een kristal aan het plafond te hangen, of in ieder geval iets dat de directe stroom van energie tussen het raam en de deur onderbreekt.

Als je toch met je hoofd onder het raam moet liggen, zorg er dan in ieder geval voor dat je het raam goed bedekt houdt tijdens het slapen, dus door gordijnen, van wat voor soort ook.

Houd de slaapkamer verder zo simpel mogelijk, probeer meubels tot een minimum te beperken. Mocht je toch wat meubels willen, overweeg de keuzes dan zorgvuldig.

Datzelfde geldt voor de kleuren die je in de slaapvertrekken gebruikt. Vergeet niet dat dit een ruimte is waar energie wordt opgedaan om weer geheel te herstellen na een dag vol uitdagingen. Felle kleuren en drukke patronen raad ik daarom ook af. Kies alles vanuit een oogpunt van rust, balans, heling en warmte.

Heb je een kamer met felle of hele sterke kleuren, zoals felrood of oranje, dan kan dat een ontspannen nachtrust in de weg staan.

Een andere manier om de slaapkamer een oase van rust te laten zijn, is het aantal storende elementen te minimaliseren.

Het is ongelooflijk hoeveel energie verstorende zaken we bij ons dragen. De telefoon staat negen van de tien gevallen meteen naast het hoofdkussen. Een stereo, tv en radiowekker staan er ook bij, en ondertussen is het een onzichtbaar, maar zeker merkbaar feest van verstorende stralingen.

Dit geldt ook voor scherpe hoeken of plafondbalken die als het ware het bed 'doorklieven'. Dit klinkt wel heel bloederig, maar je versnijdt inderdaad op die manier de energie in een vertrek. Is het hele plafond uit van die ouderwetse balken opgebouwd, gebruik dan je creativiteit om dit zoveel mogelijk te beperken.

Je zou natuurlijk het plafond kunnen afdekken, verlagen als het ware, maar dat is nogal drastisch wellicht. Leuker en romantischer is het om stof te spannen over het gedeelte boven het bed, op die manier creëer je een soort van hemelbed en zie je in ieder geval die snijdende balken niet wanneer je naar het plafond ligt de staren.

Ik bespreek zo dadelijk het onderwerp spiegels nog, maar ik zeg hier alvast dat de traditionele Feng Shui scholen geen aanhangers zijn van spiegels in de slaapkamer. Het enige waarbij het handig zou zijn, is wanneer je vanaf je gewoonlijke plek in bed niet de ingang van de slaapkamer kunt zien. Onbewust kan dit tot onrust leiden en een slim opgehangen spiegel die je het zicht op de deur weer teruggeeft, is dan wel aan te raden.

Een grote spiegel aan het plafond wordt niet gerekend als Chi bevorderend.

Ook worden levende planten en water in de slaapkamer gerekend als energie verstorend, ze leiden af. De slaapkamer is dus niet de plek om je klaterende binnenhuisfontein te installeren.

Probeer deze kamer wel zo veel mogelijk volgens de Bagua in te richten, en let dan eens op het gebied van de relaties en liefde. Het is nogal voor de hand liggend dat je de slaapkamer met dit Bagua vlak associeert.

Wat staat er in dit gebied? De wasmand, nog uit te zoeken rommel, de zak met wintersportkleding?

Dit is de kamer om dit gebied te activeren en te verbeteren. Maak het tot een romantisch vertrek, gebruik kleuren en materialen die warmte en liefde uitstralen. Maak van je slaapkamer een soort heiligdom binnen je woning.

# DE KINDERKAMER

Ikzelf ben geen moeder, maar een hoop vrienden en bekenden in mijn directe omgeving hebben wel kinderen.

Een vriendin van mij sprak onlangs haar frustratie en zorgen uit over het gedrag van haar dochtertje. Het leek wel alsof ze steeds onrustiger werd de laatste tijd en ook van haar docenten op school kreeg ze verontrustende berichten.

Zo zou ze overactief, onrustig en zelfs agressief zijn in de klas. Haar concentratievermogen was hard achteruitgegaan en thuis lagen zij en haar moeder, mijn vriendin, constant overhoop.

Ik vroeg of ik een kijkje in haar kamer mocht nemen. Ik moet je eerlijk bekennen, bij het betreden van haar kamer kreeg ik het zelf bijna meteen op mijn heupen. Het was geen grote kamer en dat hoeft op zich geen ramp te zijn. In dit geval echter had de kamer meer iets weg van het kantoor van een ver-strooide professor.

In de zes vierkante meter had de familie het volgende neergezet:

Een bed, een bureau, een compleet computerwerkstation met beeldscherm, toetsenbord, muis, boxen, scanner, camera, harde schijf. Een televisietoestel met een totale Play Station opzet. Dat zijn computerspellen, voor de leken onder ons.

Twee levensgrote foto poppen van de Spice Girls compleet met platformschoenen en raar haar. Een kinderdrumstel, een karaoke machine, een wekkerradio, een knalgeel vloerkleed met bijna fluorescerende geometrisch figuren.

Ik had nog geen twee minuten nodig, ik hield de deur open en deed een stap terug, zodat de moeder zelf eens kon kijken.

'Ik word hier zelf al helemaal raar van,' zei ik, 'laat staan een kind van negen. Wat denk je dat al die elektrische apparatuur voor invloed heeft op haar energiehuishouding?' Ik begreep natuurlijk wel dat het deze dagen van belang is dat kinderen zich ontwikkelen, maar dit was teveel van het goede.

In plaats van een slaapkamer waar ze lekker tot rust kon komen en waar ze alle opgedane indrukken in haar eigen tempo kon verwerken, werden ze hier nog eens vertienvoudigd.

Diezelfde avond nog verhuisden we al het elektronisch goed naar de logeerkamer, en toverden de rest van de kamer om in een heus sprookjesachtig, meisjesvriendelijke, zachte, beschermende en vooral rustige kinderkamer. Het verschil was bijna onmiddellijk waarneembaar en mijn vriendin was bijna in tranen toen haar dochter even later uit zichzelf aanbood te gaan slapen.

Alle regels die voor ons volwassenen gelden, gelden natuurlijk ook voor negenjarigen!!.

# DE KEUKEN

Dit is een heel belangrijk vertrek in onze woning. Ik vergeet zelf wel eens hoeveel tijd we eigenlijk doorbrengen in de keuken. Ik loop de hele dag door mijn keuken in, even een kopje thee, even een cracker hier, een blik in de koelkast daar.

Vooral als ik me verveel of verlegen zit om inspiratie, nemen mijn vruchteloze tochten naar de koelkast toe. Maar dit terzijde, volgens de oude Chinezen was de keuken een van de belangrijkste plaatsen in het huis, omdat hier het voedsel werd bereid. Hoe beter de energie in de keuken, hoe beter de voedende kwaliteiten van het eten zo redeneerden zij.

En hoe beter het eten, hoe gezonder de bewoners, hoe voorspoediger hun leven.

Ik moet toegeven dat onder stress mijn dieet er vaak als eerste onder lijdt.

Geen tijd om te koken, geen tijd voor verse groenten, snel een pakje open enz.

Goed om ons te realiseren dat de keuken zo belangrijk is.

Dat de keuken altijd schoon en opgeruimd moet zijn, staat hopelijk buiten kijf.

Er zijn niet heel veel Feng Shui regels toe te passen in dit vertrek, maar wat wel heel belangrijk is dat de persoon die het eten voorbereidt zich op zijn gemak voelt.

Het zou het beste zijn wanneer hij of zij de hele keuken zou kunnen overzien.

Een andere noot is dat je beter niet het element Vuur naast het element Water kunt hebben. Dat wil zeggen liever de koelkast niet naast het for-nuis. Als het niet anders kan, zorg dan dat er een ander voorwerp is tussen het fornuis en de koelkast.

# EHBO

Op het moment is er een enorm aanbod aan Feng Shui hulpmiddelen. Je hebt ze misschien wel eens gezien in een esoterische boekhandel of op markten.

Je ziet er bijvoorbeeld veel metalen of bamboe windgongen. Chinese muntjes samengebonden met rood draad, boeddha beelden, achtzijdig spiegeltjes.

Ik persoonlijk vind dat soort hulpmiddelen prachtig, maar dat is puur omdat ik toevallig van die stijl houd. Je hoeft je namelijk niet te beperken tot Chinese gelukpoppetjes.

Zoals ik al eerder zei in dit boek, we leven in de eenentwintigste eeuw, in het westen. Hier in het westen hebben we nog genoeg andere hulpmiddelen en symbolen waaruit we kunnen kiezen.

Sterker nog, de lijst is eindeloos, immers ieder voorwerp dat een emotionele waarde heeft voor jou, dat een speciaal gevoel bij je oproept, is inzetbaar als Chi versterkend middel.

# Persoonlijke symbolen

Laat je alsjeblieft niet beperken in je keuze van Feng Shui symbolen, er is geen goed of fout.
Het gaat om je persoonlijke voorkeur, houd wel rekening met eventuele medebewoners.
Alles mag, ik weet niet wat voor beelden of ideeën je krijgt bij 'carrière en levenspad' of bij 'kinderen en creativiteit'.
In mijn creativiteitsgebied hangt bijvoorbeeld een schilderij dat een vriend voor me maakte, bij anderen is het misschien een goed gedicht van de laatste sinterklaasviering.
Voor de een werken kristallen in het carrièregebied, voor een ander de collectie miniatuur Ferrari's.
Bij de bespreking van de individuele Bagua gebieden noemde ik al enige symbolen die daar goed bij zouden kunnen aansluiten.
Alles waar we naar kijken, of wat we in onze handen nemen en wat ons een positief gevoel geeft, is bruikbaar als Chi versterkend middel.
Dus overal in huis waar de Chi niet optimaal is, kunnen we deze voorwerpen inzetten.
Misschien is er sprake van een zogenaamde 'dode hoek', een leuk idee van de architect op tekening dat in de bouw niet helemaal uit de verf kwam. En wat doe je dan met dat rare nisje in de slaapkamer?
Of de kamer is in een L-vorm, en volgens de Bagua indeling mis je het liefde en relatie gebied. In dat soort gevallen is het dus goed wanneer je uit een voorraad versterkende symbolen kan kiezen.

Foto's, planten, draperieën, tekeningen, spreuken, souvenirs, kristallen, dolfijntjes, ik noem er maar een paar, gebruik je fantasie, het is jouw ruimte.

# GROENE VINGERS

Vooral planten kunnen de energie in een ruimte positief veranderen, of een mooi boeket bloemen.

Ik weet niet of het alleen in mijn herinnering zo is, maar naar mijn idee hadden mensen vroeger veel meer planten in huis. Planten brengen een prachtige energie met zich mee, mits ze gezond en goed onderhouden worden.

Een verstoft droogboeketje naast de telefoon schept weinig opheffende energie, integendeel.

Bruine varens bestaan niet, die vallen onder de categorie dode varens.

Haal je planten of bloemen in huis, zorg er dan voor dat je ze regelmatig water geeft en dode bladeren verwijdert. Heb je nou echt helemaal geen affiniteit met plastic gietertjes, vul je de vensterbank toch met plastic planten? Dat is geen grapje, tegenwoordig heb je prachtige imitaties.

Een aantal jaren geleden paste ik op het huis van een vriendin, hond uitlaten, post ophalen en ook de plantjes verzorgen. Toen ze na drie weken terugkwam, vroeg ze me waarom de vaas met plastic tulpen tot de rand gevuld was met water!

Er zijn mensen die zeggen dat je geen puntige planten in huis zou mogen hebben. Ikzelf word altijd een beetje stekelig wanneer mensen roepen wat wel en niet mag.

Van mij mag alles zolang het jou een goed gevoel geeft, dus ook cactussen.

Sterker nog, ik vind het prachtige planten, zo ook de zogenaamde Yucca's en gelijksoortige.

Je kunt wel rekening houden met *waar* je ze neerzet. Dus op veilige afstand van de kinderspeelhoek of de koffietafel.

Probeer het zelf maar uit, kijk eerst eens goed naar de huiskamer zonder bloemen, en zet er dan een bloeiend boeket in. Ik durf te wedden dat je meteen een beter gevoel krijgt bij die kamer.

# SPIEGELS

Een ander hulpmiddel waar we eerder kort over spraken, zijn spiegels.

Spiegels zijn bijna onmisbaar in de Feng Shui, het zijn prachtige hulpmiddelen. Slim gepositioneerde spiegels kunnen een kamer een totaal andere indruk laten geven.

Overal waar je voelt dat je met wat meer ruimte zou kunnen doen, kunnen ze worden ingezet.

Stel, de voordeur opent naar een muur. Zodra je de woning binnenstapt, voel je je onbewust al beperkt. Plaats je nu een spiegel op die wand, dan heb je meteen een totaal andere binnenkomst.

Hetzelfde geldt voor de zogenaamde 'dode hoeken'.

Een muur op de plaats waar eigenlijk een Bagua gebied had moeten zijn, betekent niet automatisch het einde van dat levensgebied.

Je kunt dat prima oplossen door een spiegel te plaatsen aan die wand, het liefst zo groot mogelijk. Houd de spiegel schoon en je zult zien dat het de missende energie weer aan zal trekken.

Heb je vanuit een bepaalde plaats in de ruimte een prachtig uitzicht over een park of rivier of wat dan ook aantrekkelijk voor je is, positioneer dan een spiegel zodanig dat je dat uitzicht van nog veel meer plekken kunt bewonderen.

Ook als je door de inrichting van een kantoor alleen zodanig kunt zitten dat je vanuit die positie niet de deur kunt zien, dan kun je door de plaatsing van een slim opgehangen spiegel toch blijven volgen wat er achter je gebeurt. Je voelt je dan meer op je gemak en je kunt rustiger werken.

Volgens de traditionele Feng Shui zou het in relaties ongeluk brengen om spiegels in de slaapkamer te hebben. En dan vooral wanneer je jezelf kunt zien vanuit het bed. Het zou namelijk de tussenkomst van een derde persoon symboliseren en uiteindelijk de breuk van een relatie.

Persoonlijk denk ik dat het niet een optimaal idee is om spiegels in de slaapkamer te hebben (dan heb ik het niet over je optut spiegeltje), omdat het te onrustig is in een slaapkamer. De slaapkamer moet een oase van rust zijn, zodat je in je slaap weer genoeg energie kunt opdoen om de volgende dag weer aan te gaan.

Kun je je zelf zien vanuit je slaappositie, hang dan een gordijn voor de spiegel of een grote sjaal of kaasdoek.

Zorg ervoor dat de slaapkamer 'stralingsvrij' is. Dat betekent zo min mogelijk elektrische apparatuur. Liever geen mobiele telefoons op het nachtkastje en wil je toch tv kunnen kijken vanuit bed, zorg dan dat hij helemaal uit is wanneer hij niet in gebruik is.

# VERLICHTING

De verlichting in je woonruimte is heel belangrijk.

Je kunt namelijk je hele huis inrichten volgens alle Feng Shui richtlijnen. Hoogpolige tapijten, klaterende binnenhuisfonteinen, antieke boedd-ha beelden, wanneer je het niet kunt zien, dan zul je niet het gewenste effect ervaren.

Ieder huis heeft plekken die niet goed verlicht worden, waar zijn die plekken precies? In welk Bagua gebied liggen ze?

Klopt het dat je misschien wat meer licht zou kunnen laten schijnen op je loopbaan, je carrière?

Tast je in het duister over waar je in vredesnaam nieuwe inspiratie vandaan kunt halen?

Voor veel mensen betekent 's avonds een lampje aan een graai in de voordeelzak waxinelichtjes. Dat is ook wel heel gezellig, maar met gezelligheid alleen krijg je geen beter inzicht in je financiële situatie of verbeter je je kansen op je droombaan.

Er staan eindeloze lichtbronnen tot onze beschikking. Waxinelichtjes zijn daar zeker deel van, een hele vensterbank vol met brandende kaarsjes geeft een prachtig sprookjesachtig effect, maar er is meer. Waarom is licht nu toch zo belangrijk?

Licht is een perfecte manier om vastgeroeste Chi weer een beetje op gang te krijgen.

Op een regenachtige bewolkte dag, zo'n dag dat je je slalommend tussen de paraplus met raar nat haar van het postkantoor naar de supermarkt haast. Op zulke dagen zullen de meesten onder ons zich waarschijnlijk niet optimaal voelen.

Leggen we hetzelfde circuit nu af terwijl de zon schijnt, zelfs als we ook nog langs de stomerij moeten en eindelijk een plekje vinden bij een defecte parkeermeter, dan durf ik te beweren dat diezelfde mensen zich toch stukken beter voelen. Dat komt puur omdat het veel lichter is op zo'n dag. Het is niet voor niets dat zoveel mensen lijden aan  winterdepressies, of dacht je altijd dat dat maar een fabeltje was? Mensen die daar last van hebben, worden voor een lichtbak gezet om ze weer wat op te peppen. Je kunt je dan wel voorstellen wat voor een effect een niet voldoende verlichte woning op ons zal hebben. Huizen die te donker zijn, hebben een tekort aan gezonde Chi, en in een huis waar de Chi niet lekker kan circuleren, kun je ook niet lekker functioneren.

Kijk eens goed welke plaats in je huis  beter verlicht kan worden. Een met zorg gekozen schilderij hoeft niet in de duisternis te verdwijnen, zodra de zon ondergaat, zet er een mooie spot op.

Let op donkere hoeken, betrek ze bij de kamer door verlichting. Vooral een staande schemerlamp op een plek waar je meer helderheid of inzicht zou willen hebben is zeer effectief. Een staande lamp symboliseert onze verbinding met de aarde, en die moeten we nooit uit het oog verliezen, we functioneren immers het beste vanuit een stevige basis.

Hanglampen, schemer- en halogeenlampen, spotjes, kerstverlichting, aromatische en drijfkaarsen, lantaarns, olielampjes, zonlicht, noem maar op.

Kies voor lampen met een warme gloed. Het mag wel hoog in wattage zijn, maar een flikkerende witblauwe tl-lamp doet de truc niet.

Goede verlichting verbetert de Chi in en rond een woning enorm. Ligt je huis nogal beschut, of valt het weg naast de enorme villa's aan weerszijden, plaats dan buitenverlichting op alle hoeken en je zult zien dat de woning als het ware een stuk wordt opgeheven.

# KRISTALLEN

Over dit onderwerp zijn boekenplanken vol geschreven en de informatie is zeker te uitgebreid om hier echt in detail te bespreken.

Begin er dan niet over zul je zeggen, en ik zal het daarom ook kort houden.

Vind je het een interessant onderwerp, dan raad ik je zeker aan wat boeken over het onderwerp te lezen.

Kristallen hebben net als kleuren individuele kwaliteiten. Ieder kristal heeft een andere vibratie en daarom een andere invloed op onze energie.

Kristallen worden overal ter wereld gevonden en gebruikt voor o.a. heling, meditatie, inzicht en reiniging.

Kristallen doen letterlijk wat jij ze vraagt om te doen, dat wil zeggen dat ze werken aan de intentie die jij erin stopt.

Gewoon een handje halfedelstenen op het nachtkastje leggen, zal weinig of geen invloed hebben. Leg je datzelfde handje daar neer met de intentie dat ze je een beter inzicht op je spirituele pad zullen geven, of duidelijkheid in je dromen, dan zullen ze dat zeker doen.

Je kunt bijvoorbeeld in iedere kamer een kristal neerleggen met een speciaal voor die kamer gewenste intentie.

Een kristal in de huiskamer voor communicatie binnen het gezin, in de studiekamer voor een goede concentratie, in de keuken voor gezondheid en kracht.

Dit zijn een paar voorbeelden, je hebt waarschijnlijk zelf al een paar ideeën.

Het is belangrijk dat je de kristallen reinigt voordat je

ze gebruikt en ook daarna iedere keer wanneer je het idee hebt dat ze het nodig hebben. Dit kun je op verschillende manieren doen. De makkelijkste manier is ze gedurende een aantal minuten gewoon onder de stromende kraan te houden, terwijl je in gedachten alle 'vervuilde' energie eraf ziet lopen. Je kunt ze ook op een mooi plaatsje een aantal uren in de zon leggen, ervan uitgaande dat we een paar uur zon hebben natuurlijk.

In een officieel kristallen boek staan ongetwijfeld veel meer manieren en toepassingen om met kristallen te werken.

Misschien is er in je woonplaats af en toe een zogenaamde mineralenbeurs. Dit is een paradijs op aarde voor de echte stenenfanaticus, maar ook een bron van inspiratie voor de leken onder ons. Je vindt er ontelbaar veel verschillende (half)-edelstenen, mineralen etc. en een zee aan informatie en boeken over dit onderwerp.

# Ik kom er niet uit

Ik zou je nog vertellen wat te doen als je geen regelmatige vierhoekige kamer hebt.

Stel, je mist de hoek van het Reizen en de Behulpzame vrienden. Wees nu niet bang dat, zolang je hier woont, je nooit meer naar dat favoriete Griekse eilandje kunt. Of nooit meer een beroep kunt doen op je vrienden om de wasmachine te verplaatsen of de video te programmeren.

Als deze ontbrekende hoek buiten je huis valt, zeg maar in de tuin of op het balkon, dan betrek je dit gebied er net zo bij alsof het wel in de kamer zou liggen. Dus geen vier weken opgespaarde vuilniszakken, kapot tuinmeubilair of dode geraniums.

Je kunt hier een buitenlamp plaatsen, een windgong hangen, weelderige planten, een vogelbadje. Maak het tot een aantrekkelijk gebied.

Als de ontbrekende hoek echt ontbreekt, dus onderdeel is van bijvoorbeeld de liftschacht of het huis van de buren, dan moet je er binnen wat aan doen.

Ten eerste, plaats iets voor de scherpe hoek: een plant of een vloerlamp. Verlichting is erg belangrijk in zogenaamde 'dode' hoeken, je hebt dan het gevoel dat de hoek er wel bij hoort.

Aan de muur kun je hier de dingen plaatsen die je gewoonlijk in dit gebied zou hebben gehangen, dus vakantiefoto's, kiekjes of cadeaus van vrienden etc. Ook een zo groot mogelijke spiegel op deze wand werkt goed. Op deze manier activeer je toch het gebied van Reizen en Behulpzame vrienden, ook al is het dan niet direct zichtbaar aanwezig.

Je kunt dit natuurlijk doen met ieder gebied dat je mist of dat kleiner uitvalt.

# NUMEROLOGIE

Ik weet het, ik weet het, numerologie is geen onderdeel van de traditionele Feng Shui. Maar ik vind het zelf zo'n leuk onderwerp en het sluit zo prachtig aan bij alles wat we al besproken hebben dat ik het jullie lezers niet wil onthouden.

Ik geef hier een heel beknopt overzicht van hoe het werkt en als je er meer over wilt weten, raad ik je zeker aan om er een gespecialiseerd boek over open te slaan. En te lezen uiteraard!

Oké, tot op de dag van vandaag zijn onderzoekers er nog steeds niet helemaal uit waar en wanneer numerologie precies ontstond. Wel weten ze dat de oude Egyptenaren zich al beraadden op getallen bij de bouw van hun piramiden. En het joodse volk zoekt in hun Kabbala naar de structuur van het universum, want volgens hen schiep God het universum door middel van letters en getallen.

De numerologie die wij hier in het westen gebruiken, is voornamelijk gebaseerd op het werk van Pythagoras.

Pythagoras (zesde eeuw v.Chr.)was een Grieks filosoof en vooral een wiskundige, die ervan uitging dat ieder getal een bepaalde betekenis van het universum in zich hield. Hij baseerde zijn bevindingen onder andere op de Kabbala, die hij bestudeerde als jonge man. Hij geloofde dat alle dingen getallen zijn, dat ieder getal een bepaalde trilling met zich meedraagt en dat je via de getallen de nooit stoppende kringloop van het leven kon meten en voorspellen.

Via onze huisnummers kunnen we een inzicht krijgen

wat voor soort energie ons huis draagt, wat voor trilling het uitzendt.

# HUISNUMMERS

Hoe kunnen we nu berekenen wat voor trilling ons huis heeft? Dat is eigenlijk heel simpel. Zeg, je woont op de Vriendenlaan 32, tel dan de 3 en de 2 bij elkaar op. Dus 3+2=5, jouw huis heeft dan een 5 trilling.

Is de som van de getallen hoger dan 9, tel de uitkomst dan net zolang bij elkaar op tot het weer 1 getal is.

Als je bijvoorbeeld op nummer 168 woont, dan zien we 1+6+8 = 15, we willen het naar een enkel getal krijgen dus, 1+5 = 6, dit huis heeft dan een 6 trilling.

Het komt ook wel eens voor dat een heel gebouw een huisnummer heeft en de appartementen in het gebouw weer individuele nummers.

Dus stel, ik woon in het gebouw aan de Konin-ginne-weg 140, maar mijn flat is nummer 26.

Dan heeft de 26 de sterkste invloed op mijn woning. Kijk wel altijd naar de betekenis van beide nummers.

Dat doen we weer door ze tot een getal te reduceren, 1+4+0 = 5 voor het hele gebouw, en de trilling voor de woning zelf wordt dan 2+6 = 8.

Bij huisnummers met letters, tel je ook de letter erbij op. Hieronder volgt een systeem om letters naar getallen te vertalen.

| A | B | C | D | E | F | G | H | I |
|---|---|---|---|---|---|---|---|---|
| J | K | L | M | N | O | P | Q | R |
| S | T | U | V | W | X | Y | Z |   |
| 1 | 2 | 3 | 4 | 5 | 6 | 7 | 8 | 9 |

Een huis met nummer 38a wordt dan, 3+8+1(a) = 12, 1+2 = 3. En als je huis geen nummer heeft, maar al-

leen een naam kun je met behulp van de tabel hier-
boven berekenen welk getal dan bij je woning hoort.

HUIZE WELTEVREE
8 3 9 8 5   5 5 3 2 5 4 9 5 5

HUIZE = 8+3+9+8+5 = 33
WELTEVREE = 5+5+3+2+5+4+9+5+5 = 43

33+43 = 76> 7+6 = 13> 1+3= 4

HUIZE WELTEVREE = 4.

# Huisnummers

**Een :**

1 huizen hebben een creatieve energie. Het getal 1 staat voor onafhankelijkheid, originaliteit, leiderschap, positiviteit, de pure energie.

Een 1 huis is ideaal voor mensen met creatieve beroepen of hobby's. In dit huis voel je waarschijnlijk dat je controle hebt over je leven. 1 huizen zijn misschien niet altijd even netjes, maar er is wel altijd wat aan de hand, er is leven, crea-tieve energie en originaliteit.

1 betekent 'ik ben', het betekent zelfbewustzijn.

De keerzijde van een huis met een 1 trilling is dat je je er ook wel eens eenzaam kunt voelen, het gevoel dat je het allemaal alleen op moet lossen.

**Twee :**

Een huis met een 2 trilling straalt begrip en harmonie uit. Een 2 huis is een perfect 'relatie' huis. Een 2 huis nodigt uit tot samenwerking en geeft je de gelegenheid je intuïtieve vermogens te ontwikkelen. Zoals het 1 huis stond voor leiderschap, zo staat de 2 meer voor het volgen. De 2 is zachter, plooibaarder en begrijpender dan de 1.

Een 2 huis is ideaal voor goede vrienden en het huwelijk. 2 is de vredestichter, de bemiddelaar, de aantrekking tussen Yin en Yang.

Waar je voor moet uitkijken, als je in een 2 huis woont, is dat je jezelf niet wegcijfert.

Dat je niet zoveel rekening houdt met anderen dat je je zelf op de tweede plaats zet.

**Drie :**

3 huizen zijn sociale huizen. Een 3 huis nodigt uit tot communicatie, tot positieve gedachten. Deze huizen zijn een ideale ontmoetingsplek voor verschillende mensen. Leuke feestjes geef je in een 3 huis. De 3 staat voor positief denken, optimisme, lol maken, zelf-expressie, spontaniteit, gezelligheid.

Mensen in een 3 huis zijn vaak enthousiast en vol van het leven.

Negatieve aspecten in dit huis kunnen zijn dat je zo druk bent, zoveel van het leven wilt genieten dat je niet voldoende rust neemt. Brand jezelf niet op in een 3 huis, er is genoeg tijd om overal van te genieten!

**Vier :**

Hier wordt gewerkt, in deze huizen wordt gewerkt aan een stevige fundering. De energie van een 4 is stabiel, veilig en soms conservatief.

De 4 is aards en productief. In deze huizen zul je zekerheid en kracht vinden. Heb je het idee dat het leven soms aan je voorbij vliegt of dat je je focus kwijt bent, mijn advies, verhuis naar een 4 huis. Of ga er een tijdje in een logeren totdat je het allemaal weer op een rijtje hebt. Als je het op een rijtje wilt, natuurlijk. Waar je wel voor moet uitkijken in een huis met een 4 trilling is dat je niet te serieus wordt. Kijk uit dat het leven niet saai wordt en alleen maar uit werken bestaat. Af en toe eens lekker gek doen is heel gezond.

**Vijf :**

Als je rust, harmonie en bezinning in je leven zoekt, moet je zeker niet in een 5 huis gaan wonen. 5 staat voor avontuur, vrijheid, veranderingen en het middelpunt. In een 5 huis ben je constant bezig. Afspraakjes, feestjes, openingen, winkelen en 'vanavond wat drinken' met iedereen die aan de constant rinkelende telefoon hangt. Er wordt beweerd dat mensen die in een 5 huis wonen een onweerstaanbare seksuele energie uitzenden, dat je het maar even weet.

Ik woonde zelf een tijdlang in een 5 huis en het was inderdaad een non-stop komen en gaan van mensen. Iedereen bleef altijd hangen of kwam 'effe' langs. Sommige mensen bleven wat langer hangen dan anderen, er was altijd wel een feestje waar ik heen wilde of een weekendje weg.

De uitdaging van een huis met een 5 is dan ook dat je helemaal geen tijd meer maakt voor bezinning, dat het voelt dat het leven je keihard voorbijgaat. Doe af en toe een stapje terug, het houdt niet op, je kunt er altijd zo weer instappen.


**Zes :**

De 6 is liefde en harmonie, een ideaal huis voor het gezin en kinderen. In een 6 huis vinden we schoonheid en kunst. Hier heerst een groot verantwoordelijkheidsgevoel voor de mensen om ons heen. Medebewoners maar ook anderen, misschien minderbedeelden.

In een 6 huis voel je alsof je begrepen wordt, dat er naar je geluisterd wordt met onverdeelde aandacht.

Een 6 huis straalt verzorging en bescherming uit. Vergeet niet dat het leven niet alleen uit geven bestaat. Mensen in een huis met deze trilling zijn soms zo met anderen om zich heen bezig dat ze gemakkelijk hun eigen behoeftes over het hoofd zien.

## Zeven :

Een huis met een 7 vibratie nodigt uit tot bezinning. Dit huis staat in het teken van spiritualiteit, filosofie en analyseren. Een 7 huis is de perfecte plaats om alleen te zijn. Het is een huis waar je stil bent, je naar binnen keert en luistert naar je innerlijke stem.
Mensen die in een 7 huis wonen zijn vaak op zoek naar de reden achter hun bestaan. Op zoek naar manieren hoe ze zich nog meer kunnen ontwikkelen. Het is een ideale plaats voor meditatie en gebed.
Dit is niet het beste huis om te wonen als je een relatie zoekt of hebt, mits je natuurlijk een grote gezamenlijke interesse hebt in spiritueel goed.

## Acht :

8 is macht. Macht en vermogen zijn allemaal mogelijk in een 8 huis. Een huis met een 8 trilling bevordert zakelijk inzicht en intuïtie, doorzettingsvermogen, ambitie en vastberadenheid.
Dit huis is de plek van beloning, van materieel succes na het harde werken. Een goed huis om te werken aan je relatie, het zal je helpen met wederzijds respect en gelijkheid.

Waar je op moet letten wanneer je in een 8 huis woont, is dat je niet te nonchalant omgaat met je financiële goed. Houd je medemens in de gaten, denk niet alleen aan je eigen welzijn.

**Negen :**

Waar alle getallen naar toewerken. Onzelfzuchtigheid, je leven leiden in liefde, dit is het getal van volmaaktheid.

In een 9 huis is waar je wordt beloond voor al het werk dat je in het verleden hebt verzet.

Mensen in een 9 huis kunnen zich ontwikkelen tot een voorbeeld voor anderen. Het is in dit huis dat je je realiseert dat je een onderdeel bent van het grote geheel. Dat je inziet dat het niet om de kleine onbelangrijke dingen gaat in het leven. Leef onvoorwaardelijk en weet dat alles naar je toe zal komen.

Laat de interesse voor het grote geheel niet de interesse voor het individu overschaduwen in een 9 huis. Ik bedoel daarmee dat je niet te streng moet zijn ten opzichte van jezelf, je bent een mens en het is niet slecht om behoeftes te hebben, luister daar naar.

Begin nu niet meteen met dozen inpakken om naar een ander nummer te verhuizen. Het zit namelijk zo, er zijn geen goede of slechte nummers! Sterker nog, er zijn zelfs geen mindere of betere nummers.

Wat ik hiermee bedoel is dat ieder getal zijn of haar eigen kwaliteiten heeft. Dat betekent niet dat je je natuurlijk meer aangetrokken kunt voelen tot bepaalde trillingen, maar ren niet voorbij het punt waar je nu bent in je leven.

Ik geloof er heilig in dat ieder moment is zoals het moet zijn op dit moment. Je woont niet voor niets in een 2 huis op dit tijdstip in je leven, of in een huis met een 8 vibratie.

Sta stil bij wat deze trilling betekent, klopt het dat je

misschien wat meer rekening zou kunnen houden met je medebewoners?

Is het inderdaad nodig dat je je financiën structureert voor een meer gebalanceerd inkomen?

Gebruik de numerologie als een handleiding, als een gereedschap om beter inzicht te verkrijgen waar je je bevindt op het levenspad.

# OOK LEUK

Nu we toch zo lekker bezig zijn met al die aanverwante artikelen ga ik nog even door.

In het hoofdstukje over bureaus sprak ik er al even over en ik vind het zonde om het daarbij te laten. Ik wil het hier namelijk over wensborden hebben. Wens-wat??

Een wensbord is een soort van uit de hand gelopen verlanglijstje. Rond de kerst werden bij ons thuis altijd zorgvuldig gecreëerde verlanglijstjes bij mijn moeder ingeleverd, die zij op haar beurt weer aan de kerstman zou doorgeven. Toen ik ouder werd, ging het kerstmanverhaal niet meer op, en werden het voornamelijk 'nuttige' cadeaus.

Nog wat later werden het vernuftig samengestelde lijstjes, die ik semi-nonchalant voor vriendlief rond liet slingeren, meestal rond verjaar- en feestdagen.

Begrijp me alsjeblieft niet verkeerd, je kunt zo namelijk gemakkelijk de indruk krijgen dat ik een verwend, op geld belust mens ben.

Dat zou ik vreselijk vinden, maar, en daar wil ik naar toe, ik merkte dat ik helemaal niet hoefde te wachten wanneer ik iets wilde.

Ik begon mijn eigen verlanglijsten te maken, die ik voorin in mijn agenda stak. Op die manier werd ik iedere keer wanneer ik mijn agenda opende herinnerd aan al die fijne dingen die ik voor mijn gevoel nodig had.

Die lijsten liepen enorm uiteen. Dat ging echt van rode laarzen, massage, lekker luchtje, zangles, ticket naar India tot lang haar.

Daar stond dus van alles op, van lippenstift tot zelf-vertrouwen en van rijbewijs tot ladyshave.

Je ziet, ik had nooit zoveel te wensen.

Eens in de zoveel tijd werkte ik door mijn agenda, losse papiertjes eruit, adressen bijwerken, dat soort dingen.

Ik merkte dan dat er eigenlijk heel veel dingen van mijn lijstje ondertussen al in mijn bezit waren. Ik merkte dat ik er ook helemaal geen moeite voor had hoeven doen.

Wat deed ik dus, bijdehand als ik was, ik dacht: 'als ik me nu gewoon nog bewuster wordt van de dingen die ik graag zou willen, dan komen ze waarschijnlijk nog gemakkelijker tot mij.'

Zo werd de eerste versie van mijn wensbord geboren. Alles wat ik tegenkwam en mooi vond of interessant, knipte ik uit en stak ik op mijn bord. Gewoon zo'n huis-, tuin- en keukenprikbord van kurk. Plaatje van een mooie jurk, vakantiebestemmingen, boeken, mensen die ik bewonderde, foto's van mijn dierbaren. En het werkte. Het werkte zelfs zo goed dat ik heel goed ging bedenken of ik de dingen die ik op mijn bord hing echt wel wilde hebben.

Ik kreeg ze namelijk, het was alsof ze op de meest onverwachte momenten mijn leven binnenkwamen. Later, toen ik de Bagua leerde, ging ik voorwerpen zodanig positioneren dat ze overeenkwamen met de levensgebieden van de Bagua.

Iemand anders leerde mij het volgende. Ik deed een workshop 'overvloed', alweer een aantal jaren geleden nu. Ik vertelde dat ik op de een of andere manier altijd zo aan het ploeteren was om de eindjes aan elkaar te knopen, dat ik nooit echt genoeg geld had om te doen wat ik wilde.

Ze vroeg wat ik dan wilde.

Een van de dingen die ik toen heel graag wilde doen, was een heel hoog aangeschreven acteercursus hier in Londen, maar er was 'no way' dat ik me die kon veroorloven.

'Als je die cursus nu wél zou kunnen volgen', vroeg mijn workshopleidster, 'wat zou jou dat dan geven? Wat voor een gevoel zou je daar dan bij hebben?'

Ten eerste zou ik heel trots op mezelf zijn dat ik die cursus had kunnen volgen, ik zou me zelfverzekerder voelen, blij, gerustgesteld, dat soort dingen.

Ze raadde me aan om te beginnen me zo al te gaan gedragen, alsof ik die cursus al had gedaan. Ze vroeg me me trots, blij en zelfverzekerd te voelen. Hoe liep ik als ik me zo voelde, wat voor een gedachten had ik?

En ze adviseerde me dat voor een tijdje vol te houden. Toen ik ermee begon, kwamen er steeds van die irritante stemmen naar boven, van 'doe niet zo raar zeg' en 'wie gelooft daar nou in?'

Maar na een tijdje ging het beter en kon ik dat gevoel gemakkelijk een hele dag volhouden.

Een paar weken later ontmoette ik een dame in de sportschool waar ik toen werkte. We raakten aan de praat en ik vertelde dat ik zo graag die opleiding wilde doen. Vraag me niet waarom ik dat aan een wildvreemde vertelde, maar ik deed het nu eenmaal.

Bleek dat haar beste vriendin die acteerschool runde en dat ze eens zou navragen wat er mogelijk was.

De volgende dag kreeg ik een telefoontje van die vriendin. Ze bood me een plaats in de cursus aan in ruil voor een weekje helpen op kantoor. Dank u wel.

Zo heb ik nog wel een paar superverhalen van uitgekomen dromen. En natuurlijk word ik dan altijd meteen gevraagd over al die dingen die op mijn bordje hingen en niet uitkwamen.

Daar ben ik ondertussen ook achter. Dat gebeurt namelijk altijd met een reden. Als dingen niet gebeuren, zoals je graag zou willen is datgene dat je ervoor in de plaats krijgt vaak belangrijker voor je op dat moment. Als je daar op leert te vertrouwen, dan kun je niet fout gaan.

Ik zal het nog even op een rijtje zetten.

Knip, teken, schrijf de dingen op die je graag zou willen hebben in het leven en prik ze op je wensbord volgens de Bagua indeling. (Op materieel òf spiritueel gebied, het maakt niet uit.)

Realiseer je waarom je dat wilt en wat voor kwaliteiten en gevoelens dat met zich mee zou brengen.

Doe alsof je de dingen, waar je om vroeg, al in je bezit hebt, door middel van je gevoel, houding etc.

Doe dit zo vaak mogelijk en kijk in verbazing en dankbaarheid toe hoe gemakkelijk het gevraagde naar je toekomt.

Probeer het maar uit, je kunt met kleine dingen beginnen. Het is sowieso leuk erachter te komen waarom je bepaalde dingen denkt nodig te hebben.

# JA MAAR

Wat is er aan de hand?

Je hebt alles geprobeerd, je hebt je huis van zolder tot kelder opgeruimd. Iedere lade, kast, doos, tas omgekeerd en schoongemaakt en toch voelt het niet lekker als je 's avonds op de bank zit. Wat heel goed kan is dat je het huis zo enorm hebt opgeruimd dat er niets 'gezelligs' meer is. Opruimen is fijn, maar maak het niet zo spic en span dat je je ene voet niet voor de andere durft te zetten. Het is wel de bedoeling dat een huis een gevoel van leven uit blijft drukken en niet die van een showroom.

Sommige mensen hebben een obsessie met schoonmaken. In mijn studententijd woonde ik ooit in een huis waar een van mijn medebewoners altijd, en dan bedoel ik *altijd* aan het schoonmaken was. Ik wist toen niet beter en maakte daar grapjes over, de ziekte van Jif noemden we dat.

Later leerde ik dat mensen, die daar aan lijden, want leuk was het niet voor hem, dat doen omdat ze op die manier nog een vorm van controle hebben over hun leven. Misschien missen ze het gevoel van controle over hun gedachten en compenseren ze dat op deze manier. Ga voor jezelf na of je het misschien iets te rigoureus hebt opgeruimd, hou ruimte voor creatieve ingevingen en wilde ideeën.

Het hele huis is ingericht volgens de Bagua, met planten, kristallen, spiegels en noem maar op.

En toch voelt er iets niet helemaal pluis thuis. Toch hangt er soms nog een drukkende sfeer.

Hoe kan dat nu? Het kan zijn dat het huis nog een

sterke energie bij zich draagt van de vorige bewoners of van een ingrijpende gebeurtenis in het leven van de huidige bewoners. Dan is het zaak dat het huis wordt gereinigd van die energieën en opruimen alleen is dan waarschijnlijk niet voldoende.

Ik herinner me nog heel goed dat er ooit in ons huis werd ingebroken. De inbrekers werden waarschijnlijk gestoord in hun stupide onderneming, want ze hadden nauwelijks dingen meegenomen. Wel de voor de hand liggende zaken als televisie, video en stereoapparatuur. En ook mijn moeders juwelenkistje uit haar slaapkamer.

Mijn moeder heeft toen een hele week niet thuis willen slapen. Het idee dat vreemden in haar huis waren geweest en door haar privé dingen waren gegaan, maakte haar vreselijk ongemakkelijk. En het was ook zo. De hele energie in het huis was verstoord, en in iedere kamer waar we kwamen dachten we, hier zijn ze ook geweest.

Het heeft toen een hele tijd geduurd voordat mijn moeder zich toen weer op haar gemak voelde.

Na dit soort gebeurtenissen, zoals inbraak of ziekte en zelfs sterfte, is het van groot belang dat de energie in je huis wordt gereinigd.

Er zijn ook hier weer een onbeperkt aantal manieren waarop je dat kunt doen.

Een veel gebruikte manier is zout sprenkelen. Strooi zout in iedere hoek van de kamers met de focus sterk gericht op het reinigen van de energie in huis. Na een paar uur, of de volgende ochtend zuig je het zout weer op met de stofzuiger, ook weer met de focus gericht op het verwijderen van de vervuilde energie.

Geluid is ook een heel goed middel om de energie weer aan de gang te krijgen. Je kunt dat doen door met klankschalen, trommels of bellen te werken. Welke methode je ook kiest, zorg ervoor dat je het geluid ook laat klinken in de hoeken en langs de vloer. Ook hier geldt weer dat de intentie waar je het mee doet belangrijk is.

Mijn massagetherapeute heeft haar eigen manier. Na iedere cliënt, die ze op de massagetafel heeft gehad, neemt ze haar plantenspuit en sproeit ze als een bezetene door de hele kamer en in ieder hoekje, terwijl ze een soort wilde dans uitvoert en wat oerklanken uitstoot.

Toen ik dat de eerste keer zag, moet ik toegeven dat zijzelf wel een beetje ontspanning kon gebruiken. Ze legde me uit dat iedereen die daar binnenkomt een enorme lading spanning met zich meebrengt en daar ook achterlaat.

Toen zij net met haar praktijk begon, was ze doodop na cliënt nummer vier, tot ze zich realiseerde dat al die stress, pijn en vermoeidheid zich in de loop van de dag maar bleef opstapelen. Ze had daardoor haar eigen ritueel gecreëerd door met beweging, geluid en een plantenspuit met water en esoterisch oliën de behandelkamer 'vers' te houden voor iedere cliënt die binnenkwam. Zij was op die manier 's avonds ook niet meer moe.

Wierook branden werkt ook altijd goed om de atmosfeer te reinigen. Wandel dan ook het hele huis door met je brandende wierook en concentreer je op wat je probeert te bewerkstelligen.

# ZEGENINGEN

Soms is het goed ons te realiseren hoe gelukkig we eigenlijk zijn. Het is gemakkelijk om ons leven voort te zetten op de automatische piloot. We vergeten vaak dat ons huis een zegen is. Het is er altijd voor ons, om ons te beschermen en rust te bieden.
Ons huis met respect behandelen is in wezen onszelf met respect behandelen.
Ieder huis heeft een individuele kwaliteit, een bepaalde charme.
Ik persoonlijk geloof dat er een kracht is die over ieder huis waakt.
Sommigen noemen dat misschien God, anderen beschermengel, weer anderen energie.
Het maakt niet uit hoe je precies over die kracht denkt, zolang je hem van tijd tot tijd erkent.
Laten we het voor het gemak even een huisengel noemen, dat vind ik zelf wel een hele positieve benaming.
Je zou je huisengel kunnen vragen over de inwoners te waken. Bijvoorbeeld om de energie zuiver te houden in een moeilijke of stressvolle tijd.
De beste en ook de leukste manier om dat te doen is door middel van een ritueel. Je zou zelfs een plekje in je huis kunnen inrichten als een altaar ter ere van het huis.
We spraken eerder al over een altaar, maar dat was meer als een rustpunt voor jezelf, als plaats van reflectie.
Wat je dus ook kunt doen, is dat altaar met de intentie inrichten om het huis te beschermen. Je kunt hier kleine offeranden brengen. Met een offer bedoel ik

bloemen of wierook, niet dat je hier de kip van de buren slacht.

Een vriend van me legt hier ook chocolade of ander voedsel neer.

Je kunt vragen of je engel het huis wil zegenen en dat hij negatieve invloeden afweert.

Wanneer je gaat verhuizen, kun je het huis bedanken voor de mooie en/of leerzame jaren die jullie samen doorbrachten.

En heel belangrijk, wanneer je een nieuw huis betrekt kun je een klein ritueel doen ter ere van het nieuwe verbond.

Je kunt als het ware de nieuwe bewoners aan het huis voorstellen en het bij voorbaat bedanken voor de warmte en de bescherming die het je zal bieden.

Hoe meer je de woning ziet als een goede vriend, hoe harmonieuzer het leven binnen deze muren zal zijn.

Ik persoonlijk praat altijd met mijn huis. Bij het binnenkomen roep ik altijd: 'Hallo, ik ben er weer' en 'tot later' bij het weggaan.

Wanneer ik voor een tijd van huis weg zal zijn vanwege werk of nog beter, vakantie, loop ik zelfs even door alle vertrekken om gedag te zeggen, voor ik de deur achter me dichttrek.

Dit gaat trouwens op voor alles waar je je mee omringt. Gebruiksvoorwerpen en kleding en ook de auto. Wanneer je deze zaken een naam geeft, zul je zien dat ze je veel langer zullen dienen. Iedereen weet dat planten langer leven en het beter doen wanneer we er tegen praten. Waarom zou hetzelfde niet opgaan voor het Peugeotje voor de deur?

Wij noemden onze auto altijd 'Mr. O' , en vraag me niet om wetenschappelijke bewijzen, maar die auto heeft nog nooit mankementen gehad. Maakt niet uit hoe koud het is in de winter, Mr. O start altijd meteen zonder morren.

Hij doet het al zo'n jaar of negen en is nog steeds in goede vorm, probeer het maar.

Dit geldt ook voor mijn favoriete kledingstukken, de stofzuiger en het boodschappenkarretje. De woning en de dingen binnen de woning zijn er altijd voor je, en net als met een goede vriend is het noodzakelijk dat je er een goede verhouding mee hebt en houdt.

# LUISTEREN

Om nog even door te gaan op de verhouding die je
met je huis hebt, je huis praat ook tegen je.
Nee, ik ben niet van lotje getikt, het is echt zo.
Ons huis geeft ons tekens wanneer we ergens op
moeten letten in ons leven.
Als er iets gebeurt in huis, stap daar dan niet achteloos
overheen.
Het gebeurt niets voor niets, leer ernaar te luisteren.
Bijvoorbeeld, de kraan in de badkamer lekt. Lekkende
kranen betekenen vaak dat je emotioneel op raakt.
Dat je krachten als het ware weglopen, je ontsnappen.
Of het toilet is verstopt of loopt over, dan voel je je geblokkeerd of juist dat je veel te veel hooi op de vork
neemt.
Stort de boekenkast ineens in elkaar? Is het bedoeling
dat je ergens meer aandacht aan geeft, voordat jij in
elkaar stort?
Ik kan er zelf de klok op gelijkzetten dat, wanneer ik
te veel doe, en geen tijd neem om bij te tanken, mijn
stoppen door slaan.

Ik kom binnen en de lamp springt, mijn jus d'orange
pers begeeft het. Iets in mijn huis dat op het elektrisch
circuit zit, gaat het begeven.
Wanneer ik namelijk in zo'n kringloop zit, ga ik als
een bezetene te keer en het laatste waar ik aan denk
is om het rustig aan te doen.
Zodra ik de douche instap en de lamp springt, neem ik
meteen de tijd om dingen eens op een rijtje te zetten,
in het donker wel te verstaan.

Nu geef ik hier het voorbeeld van lampen en kranen, maar je huis kan op 101 manieren tegen je spreken natuurlijk.

Je kunt zelf het beste benoemen wat bepaalde gebeurtenissen te betekenen hebben.

Wanneer je je daarin oefent, is het ook goed om te kijken naar dingen die je overkomen buiten je huis.

Niets gebeurt voor niets en hoe meer je je overgeeft aan de dingen die op je pad verschijnen, hoe duidelijker het leven zich aan je zal openbaren.

# Tenslotte

Ik denk dat je nu een hoop informatie bij elkaar hebt om een verandering in je manier van wonen en daardoor van leven te maken.

Een van de belangrijkste aspecten van dit boek is, denk ik wel, dat een gezonde energiestroom noodzakelijk is voor een harmonieus leven. En tegelijkertijd dat een harmonieus leven betekent dat je in een gezonde energiestroom zit.

Misschien vind je het nog moeilijk om nu precies te benoemen wat energie nu precies is.

Volgens mij kun je het ook niet gemakkelijk onder een noemer thuisbrengen. Een gezonde Chi openbaart zich voor een ieder anders. Volg je intuïtie, luister naar je innerlijke stem, vertrouw op dat gevoel in je buik, de klik in je hoofd.

Wanneer je mediteert of wanneer je een moment van pure blijdschap ervaart, wees je er dan van bewust hoe je je precies voelt. Probeer te meten hoe je weet dat je gelukkig en in balans bent op dat moment. Dat is namelijk hetzelfde gevoel als wanneer je je in een goede energiestroom bevindt. Sterker nog, dat is een goede energiestroom.

Je kunt je zelf trainen, leuk, check jezelf. Hoe voel ik me in dit gebouw, in deze groep, aan dit bureau? Voelt het intimiderend, ontspannen, onwennig?

Wat voor sfeer hangt er in deze kamer, wat voor associaties roept die bij me op?

Hoe meer je dat doet , hoe sneller het een tweede natuur voor je wordt, en op den duur weet je niet beter. Dan zul je die week automatisch een bepaalde kleur bloemen kopen, of op gevoel de bank verschuiven, of een kaarsje aansteken.

Je hebt verschillende hulpmiddelen gekregen om de boel op gang te krijgen of juist rustiger.

De Bagua is daarin een onmisbaar middel en de verschillende hulpmiddelen als spiegels, planten etc. zijn gemakkelijk toe te passen.

Speel vaak met de Bagua, leer het uit je hoofd. Op die manier kun je gemakkelijker op de beste plaats gaan zitten tijdens bijvoorbeeld een vergadering of een gesprek. In de roem en reputatie stoel of op de bank in het communicatie gebied.

Word je bewust waarom je bepaalde kleuren prefereert of wat je huisnummer betekent, je kunt er alle kanten mee op. Mijn advies is om er lekker mee te stoeien. Laat je niet beperken door strikte regels, sterker nog, maak je eigen regels. Kijk wat goed voelt voor jou, dat is de enige strikte regel die ik je geef.

# En als allerlaatste

Vergeet niet waarom je dingen wilt veranderen in je leven of in je huis.

Het heeft geen zin om het huis te verbouwen puur omdat je er niet tevreden mee bent.

Onthoud dat je huis een afspiegeling is van je leven. Dat je je huis als goede vriend ziet.

Je zegt tegen je beste vriendin toch ook niet: 'Joh, je werkt me op de zenuwen. Je komt er niet meer in' ?

Nee, je accepteert goede vrienden zoals ze zijn, met al hun voor- en nadelen. Je kunt je afvragen: 'Waarom ben ik ergens niet blij mee. Hoe kan ik het veranderen zodat het aan mijn leven bijdraagt?'

Verander dingen alleen omdat je meer harmonie wilt creëren, meer balans, meer licht en liefde om je heen. Meer begrip voor het leven, jezelf en voor anderen.

Bij alles wat je onderneemt hier op aarde, gaat het om de intentie.

Zolang de intentie goed is en vanuit liefde komt, kun je gewoonweg niet fout gaan. Ga ervan uit dat alleen het beste je zal overkomen. Vertel jezelf dat je niet minder dan het beste verdient.

Behandel anderen, dus ook je huis, hoe je zelf behandeld wilt worden en je zult al die kwaliteiten naar je toetrekken. Ik wil daar nog aan toevoegen dat het heel belangrijk is ook respect voor de huizen van anderen te hebben. Ga vanaf nu niet, als je op visite bent bij kennissen, onmiddellijk de droogbloemen weggooien en de kleedjes rechttrekken. Alleen wanneer mensen er zelf mee komen, kun je ze hulp aanbieden. Wat voor jou misschien afzichtelijk en absoluut onverantwoord is, is voor een ander misschien hun mooiste bezit.

Zolang je dat in de gaten houdt, kan er niets mis gaan.

Veel inspiratie en geluk.